세종
한국어

KB170270

3B

문화체육관광부
국립국어원

발간사

최근 전 세계인이 접하는 한류 콘텐츠의 규모가 늘어나면서 한류 문화가 확산되고 있고, 그 결과로 한국어를 배우고자 하는 외국인 학습자의 기세가 매우 놀랍습니다. 세계 곳곳이 코로나19로 침체기를 겪던 2021년에도 한국어능력시험 응시자는 30만 명을 훌쩍 넘었으며, 문화체육관광부의 세종학당은 2007년 13곳에서 2022년에는 84개국 244개소로 증가하였습니다. 이러한 한류의 지속적인 확산을 뒷받침하기 위해서는 한국어교육의 탄탄한 지원이 필요합니다.

한류 콘텐츠와 함께 성장하는 한국어교육의 토대를 다지기 위해, 문화체육관광부와 국립국어원은 2011년 처음 발간된 《세종한국어》를 새로 다듬기로 하였습니다. 2019년부터 기초 연구를 시작한 교재 개정 작업은 3년의 시간을 들여, 2022년 드디어 새로운 《세종한국어》를 펴내게 되었고, 이를 세종학당재단과 함께 알리게 되었습니다.

새롭게 개정된 《세종한국어》는 첫째, 세종학당 곳곳에서 한국어를 배우고자 하는 열의로 가득 찬 외국인 학습자 중심의 교재를 지향하였습니다. 둘째, 현지 세종학당의 학습 환경에 따라 유연하게 활용할 수 있는 맞춤형 교재로 정비되었습니다. 셋째, 한류 콘텐츠에 대한 외국인들의 관심을 내용에 반영함으로써, 한국어 공부에 대한 학습자의 부담을 낮췄습니다. 마지막으로 세종학당을 대표하는 표준 교재로서 구심점 역할을 담당하고, 이후의 한국어 학습을 위한 연계성도 잘 갖추었습니다.

세종학당은 한국어와 한국 문화로 한국과 세계를 연결하는 대한민국 대표의 국외 한국어교육 기관입니다. 국립국어원과 문화체육관광부는 앞으로도 세종학당재단과 협력하여 전 세계에서 한국어를 사랑하는 이들이 꿈을 이룰 수 있도록 지속적인 노력과 지원을 아끼지 않겠습니다.

끝으로 교재 개발을 위해 최선의 노력을 기울여 주신 연구·집필진과 출판사 관계자분들께 진심으로 감사의 말씀을 드립니다. 《세종한국어》의 새로운 출발과 함께 문화체육관광부와 국립국어원, 세종학당재단이 세계로 더 나아갈 수 있도록 여러분의 따뜻한 관심 부탁드립니다.

2022년 8월
국립국어원장 장소원

머리말

　　세종학당은 한국과 전 세계를 연결하는 한국어·한국 문화 보급 기관입니다. 이번에 개발한 교재는 상호 문화주의에 기반하여 한국어 학습에 대한 학습자의 흥미를 증진함으로써 한국어 의사소통 능력을 향상시키는 것을 목표로 하였습니다. 이를 위해 최근 한국의 상황을 적극적으로 반영하였고 최신 교수법을 구현할 수 있는 새로운 구성과 디자인을 적용하였습니다. 이를 통해 국외 한국어교육의 방향성을 새롭게 제시하고자 하였습니다. 개정 《세종한국어》의 구체적 특징은 다음과 같습니다.

　　첫째, 세종학당의 표준 교육과정인 가형, 나형, 다형 전 과정에 탄력적으로 활용할 수 있도록 '기본 교재'와 '더하기 활동 교재'로 구분하였습니다. '기본 교재'에는 해당 등급에 필요한 핵심적인 내용을 담았으며, '더하기 활동 교재'에는 심화·확장이 필요한 언어 지식과 의사소통 활동을 담았습니다. 이를 통해 다양한 학습자 특성에 맞게 교재를 선택하여 사용할 수 있도록 하였습니다.

　　둘째, 효과적 교수·학습을 위해 단계별로 단원 구성을 차별화하였으며 학습 내용 또한 언어 발달 단계에 맞는 교수 학습 내용과 절차를 적용하였습니다. 특히 다양한 삽화와 시각적 자료를 적극적으로 제시하여 한국어 학습의 흥미를 극대화할 수 있도록 노력하였습니다.

　　셋째, 교재 전반에 생생한 한국 문화 내용을 배치하여 학습자들이 상호 문화적 관점에서 한국 문화를 이해하고, 궁극적으로는 자국의 문화와 한국 문화에 대한 바른 태도를 형성할 수 있도록 하였습니다.

　　넷째, 교재와 함께 '익힘책', '교사용 지도서', '어휘·표현과 문법', 수업용 PPT와 같은 보조 자료들을 개발하여 교사·학습자의 요구에 맞게 교재를 활용할 수 있도록 하였습니다.

　　이 교재를 기획하고 개발하는 모든 과정에 함께해 주신 국립국어원과 현지 학당과의 협조와 지원을 아끼지 않으신 세종학당재단, 그리고 학습자들이 재미있게 한국어를 배울 수 있도록 멋지게 디자인해 주신 공앤박출판사에 감사의 마음을 전하고 싶습니다. 끝으로 3년이라는 긴 시간 동안 오로지 한국어교육에 대한 열정으로 좋은 교재를 만들어 내기 위해 애써 주신 모든 집필진께 말로는 다할 수 없는 깊은 감사의 마음을 전합니다.

2022년 8월
저자 대표 이정희

차례

교재의 구성

단원	주제	단원명	기능
1	특별한 나의 경험	할아버지, 할머니 이야기도 들어 드렸어요	소개하기
2		티켓을 구하는 게 쉽지 않았을 텐데 어떻게 구했어요?	소개하기
3	음식과 요리	매운 음식을 진짜 잘 먹는구나	표현하기
4		채소부터 씻어서 썰어 놓자	설명하기
5	실수와 잘못	딴생각을 하다가 버스를 놓쳐 버렸어요	설명하기
6		제가 좀 참을걸 그랬어요	사과하기
7	멋진 휴가	캠핑을 같이 간다거나 친목 모임을 해요	소개하기, 권유하기
8		일하느라고 바빠서 오랫동안 못 갔어요	묻고 답하기
9	한국에서의 특별한 날	두 사람이 많이 부러운 모양이에요	표현하기
10		떡국을 한 그릇 다 먹었더니 배가 불러요	설명하기
11	나의 진로	자격증 준비나 외국어 공부도 미리 해 두면 좋을 거야	표현하기
12		한국으로 유학을 가려고 준비하는 중이에요	설명하기

어휘와 표현	문법		발음	활동
방학에 하는 활동	-아도/어도	-아/어 드리다		봉사 활동 경험 말하기 할 수 있는 재능 기부에 대한 글 쓰기
팬클럽 활동	-(으)ㄹ까 봐	-(으)ㄹ 텐데	현실 발음 (고모음화)	좋아하는 연예인 소개하기 바자회 소감 쓰기
맛과 식감	-거든요	-는구나/구나		자주 먹는 음식과 못 먹는 음식 말하기 좋아하는 한국 음식 순위 정하기
조리 도구 및 조리법	-아/어 놓다	-(으)ㄴ 다음에	끊어 말하기	자주 만드는 음식의 재료 설명하기 나만의 요리책 만들기
실수	-자마자	-아/어 버리다		내가 한 실수 말하기 응원의 메시지 쓰기
사과와 용서	-았었/었었-	-(으)ㄹ걸 그랬다	구개음화	말다툼한 경험 말하기 친구의 사과에 답하는 메시지 쓰기
동호회 활동	-아/어 가지고	-는다거나/ ㄴ다거나		동호회 만들어서 소개하기 동호회 회원 모집 안내문 만들기
휴가	-느라고	-기는요	경음화	휴가 계획 말하기 휴가 다녀온 경험 쓰기
결혼	-는/(으)ㄴ 모양이다	같이		원하는 결혼식 말하기 달라진 결혼 문화에 대한 글 쓰기
명절	-던데요	-았더니/었더니	비음화	대표적인 명절 소개하기 삼행시 짓기
취업	-아/어 가다	-아/어 두다		취업 준비에 대해 말하기 선호하는 직장 조건 쓰기
유학 준비	-기는 하다	-는 중이다	격음화	유학을 가서 하고 싶은 것 말하기 입학 신청서 쓰기

단원의 구성

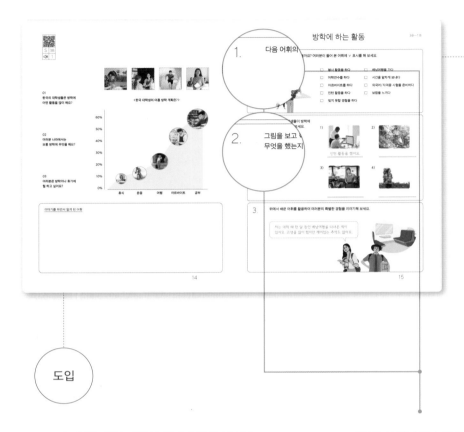

어휘와 표현

'어휘와 표현'은 해당 단원의 주제와 관련된 대표적인 어휘를 선정하되 덩어리 표현도 함께 제시하여 언어 사용에 초점을 두었다. '어휘와 표현'은 제시, 기계적 연습, 유의적 연습으로 구성하였다. 의미를 이해하는 활동에서 표현하는 활동으로 확장하여 학습자들이 배운 어휘와 표현을 맥락에 맞게 사용할 수 있도록 하였다. 단원에 따라서는 어휘장이 한 개인 경우도 있고 두 개인 경우도 있다.

도입

'도입'은 해당 단원의 주제나 문화 지식과 관련이 있는 장면을 제시하여 해당 단원에서 배울 내용에 대한 배경지식을 활성화하고 주제에 친숙해지도록 구성하였다.

1번은 삽화나 단순한 정보를 통해 어휘의 기본적인 의미를 익히도록 하였다. 2번은 학습한 어휘를 활용하여 간단하게 구어 표현을 할 수 있도록 함으로써 학습한 내용을 내재화할 수 있도록 구성하였다.

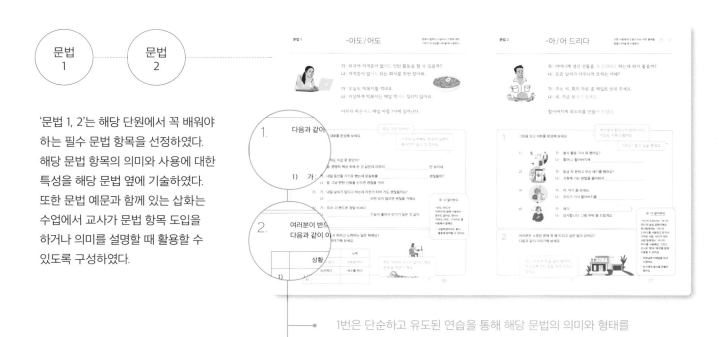

문법
1

문법
2

'문법 1, 2'는 해당 단원에서 꼭 배워야
하는 필수 문법 항목을 선정하였다.
해당 문법 항목의 의미와 사용에 대한
특성을 해당 문법 옆에 기술하였다.
또한 문법 예문과 함께 있는 삽화는
수업에서 교사가 문법 항목 도입을
하거나 의미를 설명할 때 활용할 수
있도록 구성하였다.

• 1번은 단순하고 유도된 연습을 통해 해당 문법의 의미와 형태를
  익히도록 하였다.

• 2번은 학습한 문법을 활용하여 유의적 발화를 할 수 있게 함으로써
  유창성을 함양할 수 있도록 하였다.

활동
1

'활동 1'은 '대화문, 듣기, 말하기'에
초점을 두어 고안하였다. 이때 짝수
단원에서는 '발음'을 제공하고 있으며,
'발음'은 대화문에서 제시된 표현 중
학습자의 발화 유창성을 향상시킬 수
있는 항목으로 선정하였다. 발음
항목과 실제 발음, 발음의 원리를
제시하였으며 연습할 수 있는
예문도 제시하였다.

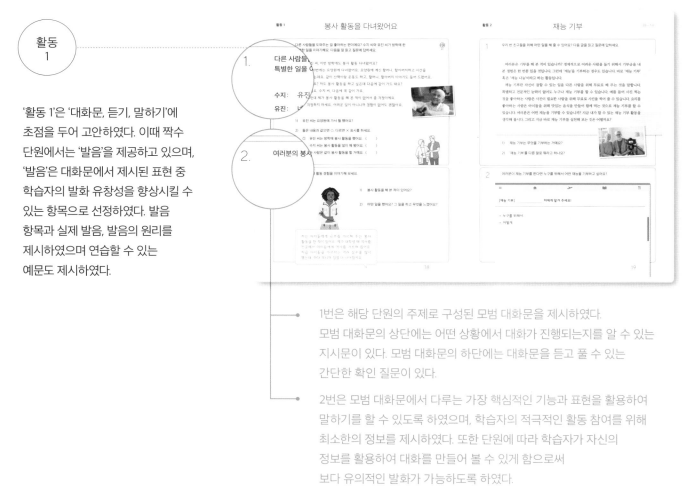

• 1번은 해당 단원의 주제로 구성된 모범 대화문을 제시하였다.
  모범 대화문의 상단에는 어떤 상황에서 대화가 진행되는지를 알 수 있는
  지시문이 있다. 모범 대화문의 하단에는 대화문을 듣고 풀 수 있는
  간단한 확인 질문이 있다.

• 2번은 모범 대화문에서 다루는 가장 핵심적인 기능과 표현을 활용하여
  말하기를 할 수 있도록 하였으며, 학습자의 적극적인 활동 참여를 위해
  최소한의 정보를 제시하였다. 또한 단원에 따라 학습자가 자신의
  정보를 활용하여 대화를 만들어 볼 수 있게 함으로써
  보다 유의적인 발화가 가능하도록 하였다.

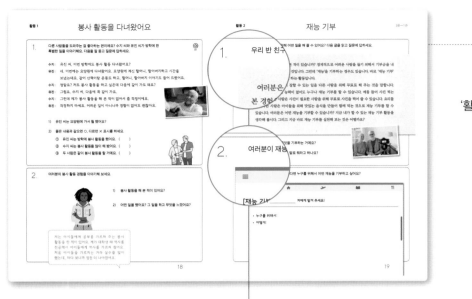

활동
2

'활동 2'는 '읽기, 쓰기'에 초점을 두었다.

1번은 다양한 자료를 읽고 내용을 파악할 수 있도록 하였다. 지시문은 해당 주제와 관련된 도입 질문으로 활용할 수 있으며, 읽기 지문 하단에는 읽은 내용에 대한 이해를 확인할 수 있는 질문을 두었다.

2번은 읽은 내용을 바탕으로 자신의 생각을 쓸 수 있도록 하였다. 1번에서 제시된 읽기 지문은 쓰기 활동의 배경지식으로 활용할 수 있도록 고안하였다.

이렇게
말해요

자기
점검

'이렇게 말해요'는 현대 한국 사회에서 사용되고 있는 다양한 구어 표현을 제시하여 실생활 표현력을 높이도록 하였다.

'자기 점검'은 해당 단원에서 배운 주제와 기능에 대한 질문을 제시하여 학습자가 성취한 수준을 확인하고 점검하도록 하였다.

등장인물 소개

마리

회사원.
재민의 회사 동료임.
등산과 케이팝을 좋아함.

수지

대학생.
외국에서 유학 중임.
취미는 사진 촬영임.

안나

대학생.
한국 드라마와 케이팝을
좋아함. 활발하고 적극적인
성격임.

유진

대학생.
영화 감상과 테니스 등
다양한 활동을 즐김.

주노

회사원.
한국에서 유학을 했음.
독서와 여행을 즐김.

재민

회사원.
주재원으로 국외 근무 중임.
산책과 캠핑을 즐김.

1

할아버지, 할머니 이야기도
들어 드렸어요

특별한 경험을 말할 수 있어요.

01
한국의 대학생들은 방학에
어떤 활동을 많이 해요?

〈한국 대학생의 여름 방학 계획은?〉

02
여러분 나라에서는
보통 방학에 무엇을 해요?

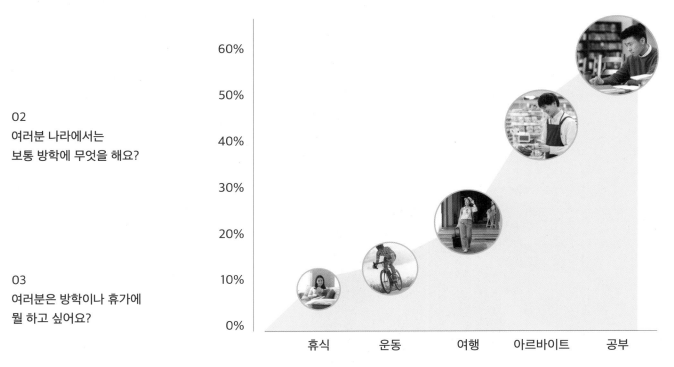

60%
50%
40%
30%
20%
10%
0%

휴식　　운동　　여행　　아르바이트　　공부

03
여러분은 방학이나 휴가에
뭘 하고 싶어요?

이야기를 하면서 알게 된 어휘

방학에 하는 활동

---

1. 다음 어휘의 뜻을 알아볼까요? 여러분이 들어 본 어휘에 ∨ 표시를 해 보세요.

☐ 봉사 활동을 하다   ☐ 배낭여행을 가다

☐ 어학연수를 하다   ☐ 시간을 알차게 보내다

☐ 아르바이트를 하다   ☐ 외국어/자격증 시험을 준비하다

☐ 인턴 활동을 하다   ☐ 보람을 느끼다

☐ 잊지 못할 경험을 하다

---

2. 그림을 보고 학생들이 방학에 무엇을 했는지 써 보세요.

1)

인턴 활동을 했어요.

2)

....

3)

....

4)

....

---

3. 위에서 배운 어휘를 활용하여 여러분의 특별한 경험을 이야기해 보세요.

저는 대학 때 한 달 동안 배낭여행을 다녀온 적이 있어요. 고생을 많이 했지만 재미있는 추억도 많아요.

-아도/어도

앞에서 말하는 사실이나 가정에 대한 기대가 어긋남을 나타낼 때 사용한다.

가 : 외국어 자격증이 없어도 인턴 활동을 할 수 있을까?

나 : 자격증이 없어도 되는 회사를 한번 찾아봐.

가 : 오늘도 떡볶이를 먹네요.

나 : 이상하게 떡볶이는 매일 먹어도 질리지 않아요.

아무리 피곤해도 매일 아침 7시에 일어난다.

무슨 고민 있어요?

아무리 공부해도 한국어 실력이 좋아지지 않는 것 같아요.

1. 다음과 같이 대화를 완성해 보세요.

1) 가 : 아직도 지갑 못 찾았어?

   나 : 응. 분명히 책상 위에 둔 것 같은데 아무리 .... 안 보이네.

2) 가 : 내일 등산을 가기로 했는데 운동화를 .... 괜찮을까?

   나 : 응. 그냥 편한 신발을 신으면 괜찮을 거야.

3) 가 : 내일 날씨가 덥다고 하는데 자전거 타러 가도 괜찮을까요?

   나 : .... 비만 오지 않으면 괜찮을 거예요.

4) 가 : 우아, 이 핸드폰 정말 비싸다.

   나 : .... 기능이 좋아서 인기가 많은 것 같아.

⊕ 더 알아봐요

'-아도/어도'는 '아무리'와 함께 사용하는 경우도 많아요. 명사는 '이어도/여도', '(이)라도'를 사용해서 말해요.

• 고등학생이라도 봉사 활동에 참여할 수 있어요.

2. 여러분이 반드시 하려고 노력하는 일은 뭐예요? 다음과 같이 이야기해 보세요.

	상황	노력
1)	시간이 없다	운동을 하다
2)	피곤하다	세수를 하다
3)		

저는 아무리 시간이 없어도 매일 운동을 하려고 해요.

16

-아/어 드리다

다른 사람에게 도움이 되는 어떤 행위를 함을 나타낼 때 사용한다.   3B—1과

가 : 어머니께 생신 선물을 사 드리려고 하는데 뭐가 좋을까?
나 : 요즘 날씨가 더우니까 모자는 어때?

가 : 주노 씨, 회의 자료 좀 메일로 보내 주세요.
나 : 네. 지금 보내 드릴게요.

할아버지께 목도리를 만들어 드렸다.

---

1. 그림을 보고 대화를 완성해 보세요.

> 버스에서 할머니가 떨어뜨리신 지갑을 주워 드렸어요.
>
> 그래요? 좋은 일을 했네요.

1)

가 : 봉사 활동 가서 뭐 했어요?
나 : 할머니, 할아버지께 ....

2)

가 : 방금 저 분하고 무슨 얘기를 했어요?
나 : 시청에 가는 방법을 물어봐서 ....

3)

가 : 어, 저기 좀 보세요.
나 : 우리가 가서 할아버지를 ....

4)

가 : 제가 .... ?
나 : 감사합니다. 그럼 부탁 좀 드릴게요.

⊕ 더 알아봐요

'-아/어 드리다'는 '-아/어 주다'의 높임 표현이에요. 윗사람에게는 '-아/어 드리다'를 사용하고 친구나 가까운 사람, 나이가 어린 사람 등에게는 '-아/어 주다'를 사용해요. 그리고 조사로 '께'와 '에게'를 함께 사용할 수 있어요.

· 부장님께 이메일을 보내 드렸어요.
· 친구에게 음식을 만들어 줬어요.

---

2. 여러분은 소중한 분께 꼭 해 드리고 싶은 일이 있어요?
다음과 같이 이야기해 보세요.

> 저는 나중에 돈을 많이 벌어서 부모님께 멋진 집을 지어 드리고 싶어요.

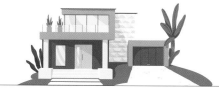

봉사 활동을 다녀왔어요

1. 다른 사람들을 도와주는 걸 좋아하는 편이에요? 수지 씨와 유진 씨가 방학에 한
특별한 일을 이야기해요. 다음을 잘 듣고 질문에 답하세요.

수지: 유진 씨, 이번 방학에도 봉사 활동 다녀왔어요?

유진: 네. 이번에는 요양원에 다녀왔어요. 요양원에 계신 할머니, 할아버지하고 시간을
보냈는데요. 같이 산책이랑 운동도 하고, 할머니, 할아버지 이야기도 들어 드렸어요.

수지: 정말요? 저도 봉사 활동을 하고 싶은데 다음에 같이 가도 돼요?

유진: 그럼요. 수지 씨, 다음에 꼭 같이 가요.

수지: 그런데 제가 봉사 활동을 해 본 적이 없어서 좀 걱정이에요.

유진: 걱정하지 마세요. 어려운 일이 아니니까 경험이 없어도 괜찮아요.

1) 유진 씨는 요양원에 가서 뭘 했어요?

2) 들은 내용과 같으면 ○, 다르면 × 표시를 하세요.

① 유진 씨는 방학에 봉사 활동을 했어요. (　　　)

② 수지 씨는 봉사 활동을 많이 해 봤어요. (　　　)

③ 두 사람은 같이 봉사 활동을 할 거예요. (　　　)

2. 여러분의 봉사 활동 경험을 이야기해 보세요.

1) 봉사 활동을 해 본 적이 있어요?

2) 어떤 일을 했어요? 그 일을 하고 무엇을 느꼈어요?

저는 아이들에게 공부를 가르쳐 주는 봉사
활동을 한 적이 있어요. 제가 대학생 때 역사를
전공해서 아이들에게 역사를 가르쳐 줬어요.
처음 아이들을 가르치는 거라 실수를 많이
했는데, 하다 보니까 점점 더 나아졌어요.

18

재능 기부

1. 우리 반 친구들을 위해 어떤 일을 해 줄 수 있어요? 다음 글을 읽고 질문에 답하세요.

> 여러분은 기부를 해 본 적이 있습니까? 경제적으로 어려운 사람을 돕기 위해서 기부금을 내
> 본 경험은 한 번쯤 있을 것입니다. 그런데 '재능'을 기부하는 경우도 있습니다. 바로 '재능 기부'
> 혹은 '재능 나눔'이라고 하는 활동입니다.
>
> 재능 기부란 자신이 잘할 수 있는 일을 다른 사람을 위해 무료로 해 주는 것을 말합니다.
> 특별하고 전문적인 능력이 없어도 누구나 재능 기부를 할 수 있습니다. 예를 들어 사진 찍는
> 것을 좋아하는 사람은 사진이 필요한 사람을 위해 무료로 사진을 찍어 줄 수 있습니다. 요리를
> 좋아하는 사람은 아이들을 위해 맛있는 음식을 만들어 함께 먹는 것으로 재능 기부를 할 수
> 있습니다. 여러분은 어떤 재능을 기부할 수 있습니까? 지금 내가 할 수 있는 재능 기부 활동을
> 생각해 봅시다. 그리고 지금 바로 재능 기부를 실천해 보는 것은 어떨까요?

1) 재능 기부는 무엇을 기부하는 거예요?

2) '재능 기부'를 다른 말로 뭐라고 하나요?

2. 여러분이 재능 기부를 한다면 누구를 위해서 어떤 재능을 기부하고 싶어요?

≡　　🏠　　✈　　📖　　🍴

[재능 기부] .... 저에게 맡겨 주세요!

• 누구를 위해서:

• 어떻게:

이렇게
말해요

발표 자료 만드는 거 너무 어려운데 도와 달라고 부탁할 사람 없을까?

안나가 발표 자료 만들기 **고수**잖아! 안나한테 부탁해 봐.

자기 점검

◇ 자신의 특별한 경험을 설명할 수 있어요?

◇ 특별한 경험을 다른 사람에게 추천할 수 있어요?

2

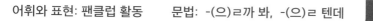

티켓을 구하는 게 쉽지 않았을 텐데
어떻게 구했어요?

좋아하는 연예인을 소개할 수 있어요.

01
여러분 나라에서 요즘 가장
인기가 있는 가수는 누구예요?

02
좋아하는 가수의 콘서트에
가 봤어요? 콘서트가 어땠어요?

03
좋아하는 가수의 팬클럽에
가입하면 어떤 활동을 해 보고
싶어요?

이야기를 하면서 알게 된 어휘

팬클럽 활동

---

1. 다음 어휘의 뜻을 알아볼까요? 여러분이 들어 본 어휘에 ∨ 표시를 해 보세요.

☐ 콘서트/공연   ☐ 사인회   ☐ 팬 미팅

☐ 표를 예매하다   ☐ 표가 매진되다   ☐ 팬클럽에 가입하다

☐ 기념품을 구입하다   ☐ 단체 응원을 하다   ☐ 커버 댄스를 추다

☐ 감동적이다   ☐ 인상적이다   ☐ 환상적이다

---

2. 1번을 참고하여 그림에 알맞은 어휘를 써 보세요.

1)

팬클럽에 가입해요.

2)

3)

4)

---

3. 위에서 배운 어휘를 활용하여 좋아하는 가수의 팬클럽에 가입하면 무엇을 해 보고 싶은지 이야기해 보세요.

저는 유새이를 정말 좋아해요. 그래서 이번에 팬클럽에 가입했어요. 다음 달에 하는 콘서트에 꼭 갈 거예요. 그리고 콘서트에 가기 전에 팬클럽 친구들과 함께 커버 댄스도 배우고, 단체 응원도 연습할 거예요.

-(으)ㄹ까 봐

어떤 상황을 추측하면서 걱정이 되거나 두려울 때 사용한다.

가 : 약속 시간보다 일찍 왔네요. 차가 안 막혔어요?

나 : 차가 많이 막힐까 봐 일찍 출발했어요.

가 : 마리 씨가 급하게 가던데 무슨 일 있어요?

나 : 콘서트에 늦을까 봐 서둘러 간 것 같아요.

말하기 대회에서 실수할까 봐 너무 걱정이 된다.

1.

다음과 같이 대화를 완성해 보세요.

> 마리 씨, 콘서트 티켓은 구했어요?

> 네. 예매를 못 할까 봐 걱정했는데 다행히 예매했어요.

1) 가 : 왜 이렇게 시계를 자주 봐요? 무슨 일이 있어요?

   나 : 중요한 약속이 있는데 ＿＿＿＿＿＿＿＿＿＿＿＿ 불안해서요.

2) 가 : 옷 사이즈가 ＿＿＿＿＿＿＿＿ 걱정했는데 생각보다 잘 맞네요.

   나 : 그러게요. 잘 맞는 것 같아요.

3) 가 : 아침부터 커피를 왜 이렇게 많이 마셔요?

   나 : 수업 시간에 ＿＿＿＿＿＿＿＿＿＿ 걱정이 되어서요.

4) 가 : 벌써 기차표를 예매했어요? 일찍 샀네요.

   나 : 휴가철이라서 표가 ＿＿＿＿＿＿＿＿＿ 일찍 예매했어요.

2.

여러분은 어떤 걱정이 있어요? 다음과 같이 이야기해 보세요.

> 내일 아침에 중요한 회의가 있는데 늦잠을 자서 지각할까 봐 걱정이에요.

	걱정되는 일	결과
1)	늦잠을 자다	지각을 하다
2)	긴장을 하다	
3)		

⊕ 더 알아봐요

'-(으)ㄹ까 봐' 뒤에 '서'를 붙여서 쓸 수도 있어요.

가 : 시계를 왜 그렇게 자주 봐요? 무슨 일 있어요?

나 : 9시에 콘서트 티켓을 예매해야 하는데 늦을까 봐서요.

-(으)ㄹ 텐데

가 : 오후에 비가 많이 올 텐데 우산을 가지고 가세요.

나 : 그래요? 고마워요.

가 : 준호 씨, 이번 시험에 꼭 합격하면 좋겠어요.

나 : 고마워요. 미나 씨. 그러면 정말 좋을 텐데 말이에요.

혼자서 공부하기 어려웠을 텐데 어떻게 공부했어요?

---

1. 다음에서 알맞은 것을 골라 대화를 완성해 보세요.

> 안나 씨, 제가 콘서트 티켓을 예매했어요!

> 정말요? 쉽지 않았을 텐데 어떻게 구했어요?

| 많다 |
| 좁다 |
| 드시다 |
| 쉽지 않다 |

1)　가 : 주말이라 사람이 ＿＿＿＿＿＿＿ 식당에 자리가 있을지 모르겠어요.

　　나 : 그럼 제가 식당에 전화해서 알아볼게요.

2)　가 : 할아버지께서는 매운 음식을 못 ＿＿＿＿＿＿＿ 괜찮을까요?

　　나 : 그럼 안 매운 음식으로 주문할게요.

3)　가 : 차 한 대로 가기에 자리가 ＿＿＿＿＿＿＿ 괜찮을까요?

　　나 : 네. 뒷자리가 넓어서 괜찮을 거예요.

---

2. 다음 상황에서 어떻게 이야기하면 좋을지 알맞은 말을 넣어서 대화를 완성해 보세요.

요즘 일이 많아서 ＿＿＿＿＿＿＿ 이렇게 와 주셔서 고마워요.

손님들이 많아 음식이 ＿＿＿＿＿＿＿ 어떻게 하지요?

 아니에요. 초대해 주셔서 제가 더 감사해요.

 제가 근처 마트에 가서 빨리 재료를 사 올게요.

공연을 보고 난 후

1. 콘서트 티켓은 어디서 살 수 있어요? 마리 씨가 콘서트에 다녀와서 주노 씨와 이야기해요.
   다음을 잘 듣고 질문에 답하세요.

마리: 주노 씨, 저 지난 주말에 드디어 유새이 콘서트에 갔다 왔어요.

주노: 와! 정말요? 근데 티켓을 구하는 게 쉽지 않았을 텐데 어떻게 구했어요?

마리: 말도 마세요. 티켓을 못 구할까 봐 엄청 걱정했어요. 팬클럽 친구들한테 부탁해서 정말
   힘들게 구했어요.

주노: 정말 대단하네요. 그래서 콘서트는 어땠어요?

마리: 실제로 보니 더 감동적이더라고요. 마지막에 다 같이 노래를 부를 때는 눈물도 조금 났어요.

주노: 정말 좋았나 보네요. 마리 씨, 이제 팬클럽 활동을 더 열심히 하겠네요.

1) 두 사람은 무슨 이야기를 하고 있어요?

2) 들은 내용과 같으면 ○, 다르면 ✕ 표시를 하세요.

① 주노 씨는 팬클럽 활동을 열심히 할 거예요.   (   )

② 마리 씨는 유새이 콘서트 티켓을 쉽게 구했어요.   (   )

③ 마리 씨는 콘서트가 감동적이서 눈물이 조금 났어요. (   )

2. 여러분이 좋아하는 연예인(가수, 배우 등)에 대해 이야기해 보세요.

저는 한국 가수 중에서 유새이를 좋아해요.
유새이는 노래도 잘하고 노래를 직접 만들기도
해요. 그리고 좋은 일도 많이 해요. 그래서
유새이의 팬들도 그런 유새이를 보고 함께 좋은
일도 하고 봉사 활동도 자주 해요.

1) 여러분은 어떤 연예인을 좋아해요?

2) 그 연예인을 왜 좋아해요?

| 발음 🔊 | -하고요 [하고요/하구요] | '-더라고요', '-하고요'의 정확한 발음은 [더라고요], [하고요] 이지만 말할 때는 [더라구요], [하구요]라고 발음할 때도 많아요. | 듣고 따라 해 보세요. • 콘서트가 **감동적이더라고요**. • 친구가 참 착해요. **성실하고요**. • 저는 **학생이고요**, 친구는 회사원이에요. |

연예인과 함께하는 바자회

1. 바자회에서는 뭘 해요? 다음 글을 읽고 질문에 답하세요.

♡ 김민호와 함께하는 바자회 ♡

5월 1일. 김민호를 사랑하는 사람들이 모여 바자회를 합니다.
이번 바자회에서는 특별히 김민호 씨가 기부한 물건도 구매할 수 있으니
많은 참여 부탁드립니다. 바자회를 통해 나온 수익금은 전액
불우 이웃 돕기에 쓰일 예정입니다.

1. 장소
광화문광장 세종 대왕 동상 앞

2. 대상
누구나 참여 가능

3. 준비물
일회용 봉투가 없습니다.
물건을 담아 갈 가방을 챙겨 오세요.

1) 읽은 내용과 같으면 ○, 다르면 × 표시를 하세요.

① 바자회는 광화문광장에서 열릴 거예요.   (   )

② 각자 물건을 담을 가방을 챙겨 가야 해요.   (   )

③ 바자회는 팬클럽 회원만 참여할 수 있어요.   (   )

2. 좋아하는 연예인과 바자회를 함께한 소감을 써 보세요.

오늘 김민호 오빠와 함께 바자회를 했다.

....

....

....

....

#바자회 #김민호 #불우_이웃_돕기
#광화문

♥ 좋아요 19,890개

이렇게
말해요

어제 콘서트 정말 멋있었어. 그렇지?

맞아. 그리고 계속 **떼창**을 했더니 목이 다 쉬었어.

자기 점검

◇ 자신의 걱정을 말할 수 있어요?

◇ 좋아하는 연예인을 소개할 수 있어요?

3

매운 음식을
진짜 잘 먹는구나

좋아하는 음식을 말할 수 있어요.

01

두 사람은 무엇을 먹고 있어요?
맛이 어떨 것 같아요?

02

사진 속 음식 중 여러분이 먹어 본
음식이 있어요?

03

여러분이 먹어 보고 싶은 음식은
뭐예요? 왜 그 음식을 먹어 보고
싶어요?

이야기를 하면서 알게 된 어휘

맛과 식감

---

1. 다음 어휘의 뜻을 알아볼까요? 여러분이 들어 본 어휘에 ∨ 표시를 해 보세요.

 시다

 달다

 쓰다

 짜다

 맵다

☐ 달콤하다　　☐ 부드럽다

☐ 얼큰하다　　☐ 속이 쓰리다

☐ 싱겁다　　　☐ 입안이 얼얼하다

☐ 담백하다　　☐ 속이 편안하다

☐ 바삭하다

---

2. 그림을 보고 해당하는 맛이나 식감을 연결해 보세요.

1)   2)    3)    4)

① 얼큰하다　　② 바삭하다　　③ 부드럽다　　④ 달콤하다

---

3. 위에서 배운 어휘를 활용하여 친구에게 음식을 추천해 보세요.

속이 쓰릴 때는 채소 수프를 만들어 먹어 보세요. 부드러워서 속이 편안할 거예요.

속이 쓰릴 때

졸릴 때

피곤할 때

?

-거든요

가 : 점심시간인데 밥 먹으러 안 갈래?

나 : 나는 좀 이따 가려고. 사실은 아까 간식을 좀 먹었거든.

가 : 오늘도 도서관에 가요?

나 : 네. 다음 주에 중요한 시험이 있거든요.

약속을 다음 주로 연기해도 될까요? 급히 해야 할 일이 생겼거든요.

---

1. 다음과 같이 대화를 완성해 보세요.

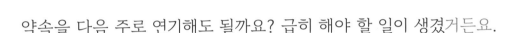

이 식당에는 항상 손님이 많네요.

음식이 맛있고 값도 싸거든요.

1) 가 : 재민 씨, 오늘 피곤해 보여요.

   나 : 어제 밤늦게까지 일을 해서 ....

2) 가 : 한국 사람인데 김치를 안 먹어요?

   나 : 네. 저는 매운 음식을 ....

3) 가 : 한국어 말하기 실력이 많이 좋아졌네요.

   나 : ....

4) 가 : 수지 씨가 친구들에게 인기가 많은 거 같아요.

   나 : ....

5) 가 : 오늘은 왜 아침을 못 먹었어요?

   나 : ....

---

2. 여러분의 올해 계획은 뭐예요? 그 이유는요? 다음과 같이 이야기해 보세요.

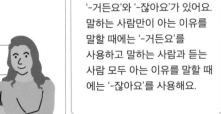

1)	한국어를 열심히 공부할 거예요. 내년에 한국으로 여행을 가고 싶거든요.
2)	
3)	

⊕ 더 알아봐요

이유를 나타내는 표현에 '-거든요'와 '-잖아요'가 있어요. 말하는 사람만이 아는 이유를 말할 때에는 '-거든요'를 사용하고 말하는 사람과 듣는 사람 모두 아는 이유를 말할 때에는 '-잖아요'를 사용해요.

-는구나 / 구나

가 : 이 불고기 어때? 내가 만든 거야.

나 : 맛있어. 너는 요리를 정말 잘하는구나.

가 : 다음 달에 한국으로 돌아가.

나 : 와, 벌써? 시간이 정말 빠르구나.

가을이라서 그런지 하늘이 정말 파랗구나.

---

1. 다음과 같이 대화를 완성해 보세요.

> 이 케이크 너무 맛있는 거 같아.

> 난 너무 단 거 같은데. 넌 단 음식을 정말 좋아하는구나.

1) 가 : 여기 경치가 어때?

　　나 : 꽃이랑 나무가 정말 _____ :

2) 가 : 이 라면 너무 매운 거 같아.

　　나 : 그러게. 생각보다 정말 _____ :

3) 가 : 나는 보통 10시 전에 자.

　　나 : 정말? _____ :

4) 가 : 저기 카페에 가서 커피 마실까?

　　나 : 너 아까도 마셨잖아. _____ :

5) 가 : 집에서 학교까지 걸어서 10분도 안 걸려.

　　나 : _____ :

> ⊕ 더 알아봐요
>
> 감탄을 나타내는 표현으로 '-다'와 '-는데/(으)ㄴ데'도 많이 사용해요.
>
> • 와, 맛있다.
> • 오늘 날씨 정말 좋은데.

---

2. 새롭게 알게 된 친구의 장점이 있어요? 다음과 같이 이야기해 보세요.

> 이번에 장학금을 받았다면서? 정말 열심히 공부했구나.

1)	장학금을 받은 친구에게
2)	교실에 가장 일찍 오는 친구에게
3)	춤을 잘 추는 친구에게
4)	

활동 1

좋아하는 음식

1. 여러분 나라의 음식과 한국 음식은 어떻게 달라요? 수지 씨와 안나 씨가 좋아하는 음식에 대해 이야기해요. 다음을 잘 듣고 질문에 답하세요.

수지: 이 떡볶이 꽤 매운 것 같은데 안나 너는 괜찮아?

안나: 그래? 난 하나도 안 매운데?

수지: 너는 매운 음식을 진짜 잘 먹는구나. 나는 매운 음식을 좋아하기는 하지만 먹고 나면 속이 쓰려서 잘 못 먹겠더라고.

안나: 나는 이 정도는 괜찮아. 우리 고향 음식 중에 더 매운 음식도 많거든.

수지: 그럼 다음에 만날 때 입안이 얼얼할 정도로 매운 한국 라면을 선물로 줄게.

안나: 아, 나 그거 알아. 인터넷에서 꽤 유명하잖아. 한번 먹어 보고 싶었는데 잘됐다.

1) 두 사람은 지금 무슨 음식을 먹고 있어요?

2) 안나 씨는 매운 음식을 잘 먹어요?

3) 수지 씨는 안나 씨에게 다음에 만날 때 무엇을 주겠다고 했어요?

2. 여러분은 어떤 음식을 자주 먹어요? 그리고 못 먹는 음식은 뭐예요?
다음과 같이 친구와 이야기해 보세요.

> 나는 매운 음식을 자주 먹어. 스트레스가 풀리거든. 너는 어때?

> 나는 매운 음식은 별로고 단 음식을 좋아해.

	나	친구
자주 먹는 음식	매운 음식	단 음식
그 이유	스트레스가 풀리다	
못 먹는 음식		
그 이유		

34

좋아하는 한국 음식

1.

여러분 나라에서 가장 인기 있는 한국 음식은 뭐예요? 다음을 읽고 질문에 답하세요.

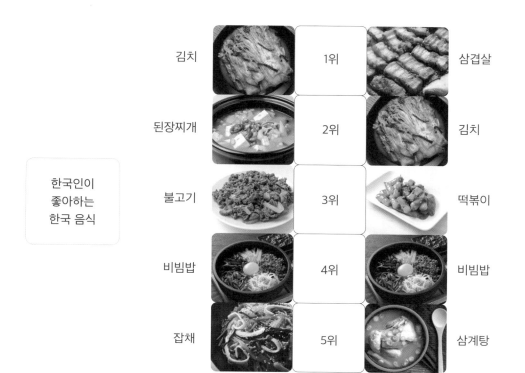

한국인이 좋아하는 한국 음식

김치	1위	삼겹살
된장찌개	2위	김치
불고기	3위	떡볶이
비빔밥	4위	비빔밥
잡채	5위	삼계탕

외국인이 좋아하는 한국 음식

1) 한국인과 외국인이 가장 좋아하는 한국 음식은 뭐예요?

2) 한국인과 외국인이 모두 좋아하는 한국 음식에는 어떤 것이 있어요?

2.

여러분이 가장 좋아하는 한국 음식은 무엇인지 순위를 정해서 써 보세요.

1위: _____

이유 :

2위: _____

이유 :

3위: _____

이유 :

이렇게 말해요

우리 시내에서 저녁 먹을까?

좋아. 시내에 아는 **맛집** 있어?

자기 점검

◇ 음식 맛과 식감을 표현할 수 있어요?

◇ 좋아하는 음식과 싫어하는 음식을 말할 수 있어요?

채소부터 씻어서 썰어 놓자

재료 손질 방법과 조리 순서를 설명할 수 있어요.

01

이 음식은 무엇일까요?

02

이 음식은 어떻게 만들까요?

03

여러분이 요즘 자주 하는 요리는
뭐예요?

이야기를 하면서 알게 된 어휘

조리 도구 및 조리법

1. 다음 어휘의 뜻을 알아볼까요? 여러분이 들어 본 어휘에 ∨ 표시를 해 보세요.

냄비	프라이팬	전기밥솥
칼 / 도마	그릇 / 접시	주걱 / 국자
가스레인지	전자레인지	

☐ 과일을 깎다   ☐ 달걀을 삶다

☐ 껍질을 벗기다   ☐ 채소를 볶다

☐ 채를 썰다   ☐ 감자를 튀기다

☐ 마늘을 다지다   ☐ 생선을 굽다

☐ 만두를 찌다

2. 그림을 보고 알맞은 어휘를 써 보세요.

1)

그릇 / 접시
....

2)

....

3)

....

4)

....

5)

....

6)

....

3. 음식에 알맞은 조리법을 선으로 잇고, 위에서 배운 어휘를 활용하여 조리법을 이야기해 보세요.

만두를 쪄서 먹어요.

1)   2)   3)   4)

①   ②   ③   ④

-아 / 어 놓다

어떤 행위가 완료된 뒤 변하지 않고
그대로 유지될 때 사용한다.

가 : 이 불고기 정말 맛있네요. 맵지도 않고 내 입에 딱 맞아요.

나 : 그래요? 많이 만들어 놓았으니까 갈 때 좀 가져가세요.

가 : 그 식당은 유명해서 이 시간에는 밥 먹기 쉽지 않을 거야.

나 : 걱정하지 마. 내가 벌써 예약해 놓았거든.

요리를 하려고 재료를 준비해 놓았다.

---

1. 다음에서 알맞은 것을 골라 대화를 완성해 보세요.

> 너무 덥네요. 시원한 음료수 있어요?

> 네. 냉장고에 넣어 놓았으니까 꺼내 드세요.

- 넣다
- 예매하다
- 차리다
- 받다
- 열다

1) 가 : 엄마, 배고파요.

　　나 : 식탁 위에 점심을 _____ 먹으면 돼.

2) 가 : 주말인데 영화표가 있을지 모르겠어.

　　나 : 걱정 마. 내가 미리 _____ :

3) 가 : 지금 어디에 가요? 무슨 일 있어요?

　　나 : 창문을 _____ 나와서 잠시 집에 다녀오려고요.

4) 가 : 저한테 온 연락 없었어요?

　　나 : 조금 전에 전화가 와서 제가 연락처를 _____ :

---

2. 친구들을 집에 초대했어요. 어떤 일을 해 놓아야 해요? 다음과 같이 메모하고 이야기해 보세요.

해야 하는 일

1. 9시 청소해 놓기

2. 10시 요리 재료 사 놓기

3. _____

4. _____

5. _____

6. _____

⊕ 더 알아봐요

'-기'는 동사나 형용사에 붙어 명사로 만들어 주는 역할을 해요. 메모를 할 때 '-기'의 형태를 사용할 수 있어요.

- 도서관에서 책을 빌려 놓기
- 친구한테 전화하기

-(으)ㄴ 다음에

어떤 행위를 먼저 한 후에 뒤의
행위를 함을 나타낼 때 사용한다.

가 : 이제 고기를 프라이팬에 볶을까?

나 : 그건 친구들이 온 다음에 볶으면 될 거 같아.

가 : 안나 씨 소식 들었어요? 내년에 한국으로 유학을 간다고 해요.

나 : 그래요? 대학교를 졸업한 다음에 바로 가나 봐요.

먼저 이 책을 다 읽은 다음에 모여서 이야기해 봅시다.

---

1. 그림을 보고 대화를 완성해 보세요.

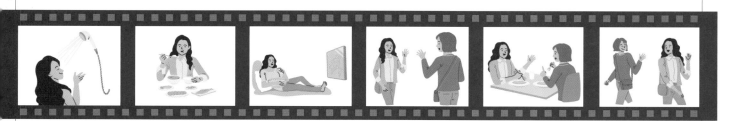

7시에 일어나서 샤워한 다음에 아침을 먹었다. 1) .... 집에서

영화를 봤다. 2) .... 친구를 만나러 나갔다. 친구를 만나서 점심을

먹었다. 3) .... 집으로 돌아왔다.

---

2. 여러분은 규칙적으로 하는 행동이 있어요?
다음과 같이 이야기해 보세요.

점심을 먹다

아침에 일어나다

운동하다

?

저는 점심을 먹은 다음에는 항상
커피를 마셔요.

⊕ 더 알아봐요

일의 순서를 나타내는
표현으로 '-고 나서', '-(으)ㄴ
후에'도 있어요.

· 청소하고 나서 빨래할
거예요.

· 숙제한 후에 친구와
통화했어요.

떡볶이 만들기

01

1. 가장 잘하는 요리가 뭐예요? 수지 씨와 안나 씨가 요리를 하고 있어요.
   다음을 잘 듣고 질문에 답하세요.

수지: 재료 준비도 다 됐으니까 이제 떡볶이 만들어 볼까?

안나: 그럼 이제 뭐부터 하면 돼?

수지: 우선 떡은 물에 잠시 담가 놓아야 돼. 그 다음에 파, 양파, 양배추를 씻어서 썰어 놓자.

안나: 다 썰었어. 이제 냄비에다가 떡과 채소를 넣고 끓일까?

수지: 안나, 잠깐만. 먼저 떡이랑 고추장부터 넣고 끓인 다음에 채소를 넣는 게 좋아. 채소를
      빨리 넣으면 너무 익어서 맛이 없거든.

안나: 그렇구나. 나는 맵게 먹고 싶으니까 고추도 썰어 넣어야지.

1) 두 사람은 지금 무엇을 만들고 있어요?

2) 다음을 보고 요리 순서대로 번호를 쓰세요.

   ① 채소를 넣는다.   (   )
   ② 떡을 물에 담가 놓는다.   (1   )
   ③ 요리 재료를 씻어서 썬다.   (   )
   ④ 냄비에다가 떡과 고추장을 넣고 끓인다. (   )

2. 다음의 요리를 할 때 무엇을 준비해 놓아야 할까요?
   다음과 같이 이야기해 보세요.

저는 달걀 샌드위치를 정말 좋아해서 자주 만들어 먹는데요. 달걀 샌드위치를 만들려면 식빵, 달걀, 마요네즈가 필요해요.

	요리 이름	재료 준비
1)	달걀 샌드위치	식빵, 달걀, 마요네즈
2)	파스타	
3)		

| 발음 | 그럼 ˅ 뭐부터 하면 돼? | 부사나 감탄사가 문장 앞에 오면 잠시 쉰 다음에 이어서 말하면 자연스러워요. | 듣고 따라 해 보세요. | • 그럼 ˅ 다음에 만나요.
• 아, ˅ 나도 알아요.
• 우선 ˅ 청소부터 하자. |

비빔밥 만드는 방법

1.

비빔밥은 왜 인기가 많을까요? 다음 조리법을 보고 요리 순서대로 사진에 번호를 써 보세요.

1. 쌀을 씻어서 밥을 짓는다.
2. 양파, 당근, 호박 등 재료를 채 썬다.
3. 프라이팬에다가 당근과 호박을 넣고 볶아 놓는다. 이때 소금도 조금 넣는다.
4. 양파는 단맛을 내기 위해 오래 볶는다.
5. 달걀 프라이를 한다.
6. 따뜻한 밥 위에 볶은 채소와 달걀 프라이를 올린다.
7. 원하는 만큼 고추장을 넣는다.

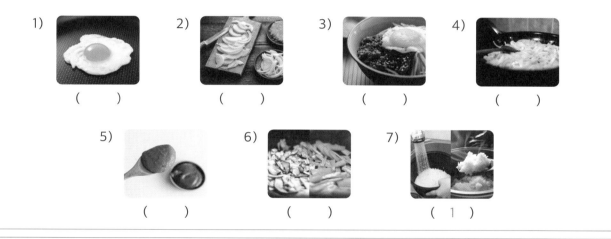

1) (　　　)　　2) (　　　)　　3) (　　　)　　4) (　　　)

5) (　　　)　　6) (　　　)　　7) (1)

2.

나만의 요리책을 만들어 보세요.

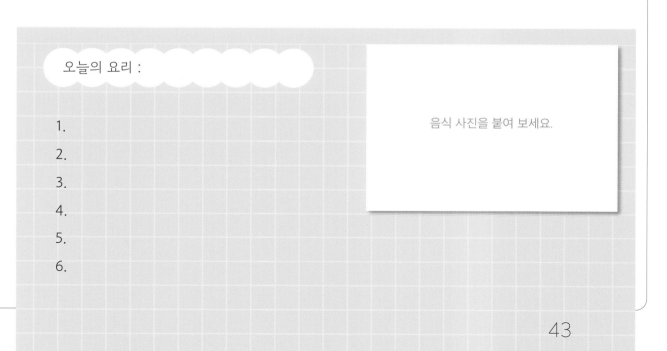

오늘의 요리 :

1.
2.
3.
4.
5.
6.

음식 사진을 붙여 보세요.

이렇게
말해요

요리책을 보고 만들어도 원하는 맛이 안 나는 거 같아.

그래서 **손맛**이 중요하다고 하잖아.

자기 점검

◇ 음식의 재료와 손질 방법을 설명할 수 있어요.

◇ 음식의 조리 순서를 설명할 수 있어요.

5

딴생각을 하다가
버스를 놓쳐 버렸어요

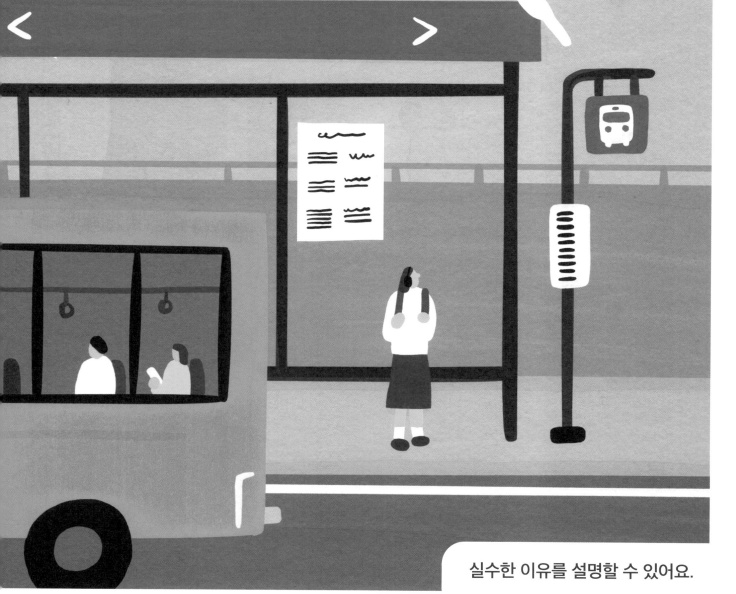

실수한 이유를 설명할 수 있어요.

01
어떤 상황이에요?

02
왜 이런 일이 생겼을까요?

03
여러분은 이런 실수를
한 적이 있어요?

이야기를 하면서 알게 된 어휘

실수

1.

다음 어휘의 뜻을 알아볼까요?
여러분이 들어 본 어휘에 ∨ 표시를 해 보세요.

☐ 잊어버리다/깜빡하다　　☐ 잃어버리다　　☐ 놓고/두고 오다

☐ 넘어지다　　☐ 부딪히다　　☐ 놓치다

☐ 떨어뜨리다　　☐ 깨뜨리다　　☐ 망가뜨리다

☐ 늦잠을 자다　　☐ 지각하다　　☐ 딴생각을 하다, 한눈팔다

2.

알맞은 단어를 골라 문장을 써 보세요.

에/에서	을/를
지하철	컵
화장실	핸드폰
계단	책
카페	노트북

1) 지하철에서 핸드폰을 잃어버렸어요.

2) ....

3) ....

4) ....

3.

위에서 배운 어휘를 활용하여 최근에 한 실수를 이야기해 보세요.

얼마 전에 친구의 생일을 깜빡했어요.

그래서 어떻게 했어요?

–자마자

어떤 상황이 일어나고 바로 이어서
또 다른 상황이 일어남을 나타낸다.

가 : 민호 씨, 어제 무슨 일 있었어요? 왜 전화가 안 돼요?

나 : 어제 핸드폰을 샀는데요. 사자마자 떨어뜨려서 수리를 맡겼어요.

가 : 마리 씨, 오자마자 어디 가요?

나 : 화장실 좀 다녀올게요.

신제품 노트북이 나오자마자 다 팔렸다.

1.

다음과 같이 대화를 완성해 보세요.

> 주노 씨, 수업 끝났어요? 마리 씨는요?

> 급한 일이 있는지 수업이 끝나자마자 뛰어나갔어요.

1) 가 : 이번 방학 때 고향에 가죠? 고향에 가서 제일 하고 싶은 게 뭐예요?

　　나 : 음. ＿＿＿＿＿＿＿＿＿＿＿＿＿ 엄마가 해 주신 음식을 먹고 싶어요.

2) 가 : 손 씻었어? 집에 ＿＿＿＿＿＿＿＿＿＿＿ 손부터 씻으라고 했잖아.

　　나 : 네. 알겠어요. 아빠.

3) 가 : 결혼한 지 벌써 10년이나 되었어요?

　　나 : 네. 대학을 ＿＿＿＿＿＿＿＿＿＿＿＿＿＿＿ 결혼했거든요.

4) 가 : 방학에 고향에 잘 다녀왔어요?

　　나 : 네. 공항에서 부모님을 ＿＿＿＿＿＿＿＿＿＿ 반가워서 눈물이 났어요.

2.

여러분은 무엇을 할 거예요? 다음과 같이 이야기해 보세요.

> 집에 도착하자마자 샤워를 할 거예요.

　집에 도착하다　　　방학하다

　용돈을 받다　　　시험이 끝나다

　졸업하다　　　?

⊕ 더 알아봐요

형용사 뒤에 '–아지다/
어지다'가 결합하면
'–자마자'와 함께 쓸 수
있어요.

• 날씨가 추워지자마자
감기에 걸렸어요.

-아/어 버리다

가 : 왜 이렇게 늦었어요?

나 : 딴생각을 하다가 버스를 놓쳐 버렸어요.

가 : 어, 빵이 왜 없지?

나 : 미안해. 배가 너무 고파서 내가 다 먹어 버렸어.

너무 늦게 도착해서 공연이 다 끝나 버렸다.

---

1. 다음에서 알맞은 것을 골라 대화를 완성해 보세요.

> 왜 발표 준비를 못 했어요?
>
> 발표 준비를 하다가 잠이 들어 버렸어요.

| 짧게 자르다 |

| 날아가다 |

| 잠이 들다 |

| 벌써 다 쓰다 |

| 그냥 오다 |

1) 가 : 왜 그냥 와요? 안나 씨 안 만났어요?

   나 : 한 시간을 기다렸는데 연락이 없어서 _____.

2) 가 : 머리를 왜 그렇게 짧게 잘랐어요?

   나 : 덥기도 하고, 머리가 많이 상해서 _____.

3) 가 : 유진, 오늘 수업 끝나고 같이 쇼핑 가자.

   나 : 나 당분간 쇼핑 못 해. 생활비를 _____.

4) 가 : 모자를 잃어버렸다고요?

   나 : 네. 바람이 불어서 모자가 _____.

---

2. 최근에 잘못을 한 일이 있었어요? 다음과 같이 이야기해 보세요.

> 친구의 비밀을 다른 친구에게 말해 버렸어요. 그래서 친구가 저에게 화를 냈어요.

| 비밀을 말하다 |

| 약속을 잊어버리다 |

| 빌린 책을 잃어버리다 |

| ? |

⊕ 더 알아봐요

'-아/어 버리다'는 어떤 행위가 끝난 결과로 인해 부담을 덜게 되어 시원하거나 아쉬움이 남게 되었음을 나타내기도 해요.

• 일 년이 벌써 다 가 버렸어요.

오늘 한 실수

1. 버스나 지하철을 놓쳐 본 적이 있어요? 주노 씨가 마리 씨에게 오늘 한 실수를 이야기해요.
    다음을 잘 듣고 질문에 답하세요.

    마리: 주노 씨, 왜 이렇게 늦었어요?

    주노: 미안해요. 오래 기다렸죠? 토요일인 걸 깜빡하고 회사에 가려고 버스를 탔다가
            다시 돌아왔어요.

    마리: 하하! 정말요? 설마 회사까지 간 건 아니죠?

    주노: 다행히 금방 내렸어요. 그런데 내린 뒤에 딴생각을 하다가 버스를 놓쳐 버렸어요.

    마리: 그랬군요. 저는 연락이 없어서 걱정을 많이 했어요.

    주노: 사실 마리 씨한테 전화하려고 했는데요. 전화기를 켜자마자 전화기가 꺼져 버렸어요.
            어젯밤에 충전하는 걸 깜빡했어요. 정말 오늘 왜 이럴까요?

    1) 주노 씨는 왜 회사로 가는 버스를 탔어요?

    2) 오늘 주노 씨가 한 실수를 <u>모두</u> 고르세요.

    ①    ②   ③

2. 여러분이 한 실수를 이야기해 보세요.

    1) 어떤 실수를 했어요?

    2) 그래서 무슨 일이 생겼어요?

    3) 그런 실수를 안 하려면 어떻게 해야 해요?

    제가 회사에 다닌 지 얼마 안 되었을 때 큰 실수를
    했어요. 사무실에 필요한 의자를 주문해야 했는데,
    10개를 주문한다는 게 실수로 100개를 주문했어요.
    그래서 부장님께 정말 심하게 혼났어요.

최악의 하루

---

1. 사람을 잘못 알아본 적이 있어요? 다음 글을 읽고 질문에 답하세요.

7월 3일 금요일

오늘은 정말 공포 영화 같은 하루였다.

아침에 머리를 감는데 갑자기 물이 안 나왔다. 그래서 마시는 물로 머리를 감았다. 아침을 먹으려고 했는데 밥이 없었다. 우유만 마시고 학교에 가려고 나왔는데 갑자기 비가 왔다. 우산이 없어서 편의점에서 우산을 샀는데 쓰자마자 비가 그쳤다. 문법 수업이 끝나고 선생님께서 숙제를 내라고 하셨다. 숙제를 내려고 공책을 꺼냈는데 문법 공책이 아니었다. 결국 숙제를 내지 못했다.

집에 오는데 앞에 안나가 보였다. 그래서 안나에게 장난을 치려고 안나 뒤에 가서 큰 소리로 인사를 했다. 안나가 깜짝 놀라며 뒤를 돌아보는데…. 헉! 안나가 아니었다. 그래서 정말 죄송하다고 사과했다. 얼굴이 빨개져서 가는데 뒤에서 진짜 안나가 인사를 했다. 나는 "너 진짜 안나 맞아?"라고 물어봤다. 안나가 왜 그러냐고 했지만 아무 말도 못 했다.

아~ 오늘은 정말 기억하고 싶지 않은 최악의 하루였다. 내일은 제발 좋은 일만 있으면 좋겠다. 두 번 다시 오늘 같은 하루를 보내고 싶지 않다. ㅠ.ㅠ

1) 읽은 내용과 같으면 ○, 다르면 × 표시를 하세요.

① 이 사람은 공책을 잘못 가져왔어요.   (   )
② 이 사람은 물이 없어서 밥을 못 먹었어요.   (   )
③ 이 사람은 우산을 안 가져와서 우산을 샀어요. (   )
④ 이 사람은 진짜 안나 씨에게 큰 소리로 인사했어요. (   )

---

2. 힘든 하루를 보낸 이 사람에게 힘내라는 말 한마디를 써 보세요.

오늘 힘든 하루였죠?

....

이렇게
말해요

어머, 어떡해! 오늘 발표하는 날인데 깜빡했어.

헐! 어떻게 그걸 잊어버릴 수 있어?

헉! 발표가 오늘이었어? 다음 주 아니야? 나도 준비 못 했는데 **어떡해!**

자기 점검

◇ 실수한 경험을 말할 수 있어요?

◇ 실수한 상황과 이유를 말할 수 있어요?

6

제가 좀 참을걸 그랬어요

잘못한 일에 대해 사과할 수 있어요.

01
이 사람들은 지금 어떤 상황일까요?

02
여러분은 친구와 싸운 적이 있어요?
어떤 일로 싸웠어요?

03
친구와 싸운 후에 어떻게
화해를 했어요?

이야기를 하면서 알게 된 어휘

사과와 용서

---

1. 다음 어휘의 뜻을 알아볼까요? 여러분이 들어 본 어휘에 ∨ 표시를 해 보세요.

☐ 말실수하다   ☐ 오해하다   ☐ 후회하다   ☐ 변명하다

☐ 사과하다   ☐ 용서하다   ☐ 화해하다   ☐ 오해를 풀다

☐ 미안해요. / 죄송합니다.   ☐ 괜찮아요.

☐ 사과 드리겠습니다.   ☐ 그럴 수도 있죠.

☐ 불편을 드려 죄송합니다.   ☐ 신경 쓰지 마세요.

☐ 대단히 죄송합니다.   ☐ 일부러 그런 것도 아닌데요, 뭘.

☐ 실례가 많았습니다.   ☐ 실수한 건데요, 뭘.

☐ 앞으로 주의하겠습니다.

---

2. 위에서 배운 어휘를 활용하여 대답해 보세요.

> 민수 씨, 지금 몇 시예요? 왜 이렇게 늦었어요?

> 정말 미안해요.

1) 어제 이 옷을 샀는데요, 집에 가서 보니까 얼룩이 있더라고요.

2) 회의 때 실수가 좀 있던데 다음에는 조금 더 잘 준비해 주세요.

3) 어제 전화 못 해서 미안해요. 너무 피곤해서 집에 가자마자 잠들었어요.

4) 앗! 죄송합니다. 많이 아프시죠? 앞에 계신 걸 못 봤어요.

5) 오늘 못 가서 미안해. 오늘이 화요일이라고 생각했어.

-았었 / 었었-

가 : 요즘 동생이랑 자주 싸워요.

나 : 저도 예전엔 동생이랑 참 많이 싸웠었는데 요즘은 안 그래요.

가 : 한국어를 참 잘하시네요. 고향에서도 한국어를 배웠어요?

나 : 아니요. 한국에 와서 배웠어요. 처음엔 하나도 못 했었어요.

어렸을 땐 키가 정말 작았었는데 고등학생 때 갑자기 커졌어요.

1.

그림을 보고 문장을 완성해 보세요.

예전

1)  2)   3)   4)

↓   ↓   ↓   ↓   ↓

지금

  1)   3)   4)

어렸을 때는 머리가

짧았었는데 지금은 길어요.

1) 전에는 .... 요즘은 잘 타요.

2) 예전에는 저 산에 ....

3) 제가 어렸을 때는 ....

4) 예전에 저 카페에 .... 문을 닫았네요.

2.

10년 전과 비교해서 어떻게 달라졌어요? 다음과 같이 이야기해 보세요.

저는 10년 전에 운동을 좋아했었는데, 지금은
그렇지 않아요. 앞으로 운동을 좀 해야겠어요.

| 나 |
| 고향 |
| 친구 |
| ? |

⊕ 더 알아봐요

명사와 함께 쓰일 때는
받침이 있으면 '-이었었-'을,
받침이 없으면 주로 '-였었-'
이라고 써요.

• 학생이었었어요. /
  가수였었어요.

-(으)ㄹ걸 그랬다

가: 안나 씨, 아까 유진 씨한테 왜 그렇게 말했어요?

나: 모르겠어요. 한 번 더 생각하고 말할걸 그랬어요.

가: 배가 너무 고파요. 밥을 좀 더 먹을걸 그랬어요.

나: 그럼 이 우유라도 마실래요?

오늘도 버스를 놓쳤다. 조금 더 빨리 집에서 나올걸 그랬다.

---

1. 다음에서 알맞은 것을 골라 대화를 완성해 보세요.

> 제주도 바다가 정말 아름다웠어요.
>
> 그래요? 저도 같이 여행을 갈걸 그랬어요.

| 조금 참다 |

| 밥 먹으러 가다 |

| 여행을 가다 |

| 높임말 연습을 하다 |

| 공부하다 |

1) 가: 마리 씨하고 싸웠어요?

　　 나: 네. 별일 아니었는데 _____.

2) 가: 시험이 너무 어려웠어요. 열심히 _____.

　　 나: 그러게요. 저도 후회가 돼요.

3) 가: 또 사장님께 실수했어요. _____.

　　 나: 주노 씨는 한국어는 잘하는데 높임말은 많이 어려운가 봐요.

4) 가: 마리 씨, 밥 먹었어요? 회의는 끝났어요?

　　 나: 회의 시간이 미뤄졌어요. 저도 _____.

---

2. 요즘 후회하는 일이 있어요? 다음과 같이 이야기해 보세요.

> 이번 달에 쇼핑을 많이 해서 생활비를 거의 다 썼어요. 옷을 조금 덜 사고 돈을 더 아껴 쓸걸 그랬어요.

57

말다툼

1. 싸운 후에 먼저 사과하는 편이에요? 안나 씨가 친구와 다툰 일에 대해 이야기해요.
다음을 잘 듣고 질문에 답하세요.

수지: 안나, 유진이랑 무슨 일 있었어? 두 사람 인사도 안 하고….

안나: 그게, 실은 며칠 전에 같이 과제 준비를 하다가 내가 유진한테 화를 좀 냈거든.
그때부터 유진이 나하고 말을 안 해.

수지: 그런 일이 있었어? 두 사람 친하게 지냈었잖아.

안나: 그러게. 별일 아니었는데 내가 좀 참을걸 그랬어. 사과를 하고 싶은데 어떻게 해야
할지 모르겠어.

수지: 유진한테 전화해서 솔직하게 미안하다고 이야기해 봐. 유진도 안나 네 연락을
기다리고 있을 거야.

1) 안나 씨와 유진 씨에게 무슨 일이 있었어요?

2) 수지 씨는 안나 씨에게 어떤 화해 방법을 추천했어요?

① 인사하고 친하게 지내기
② 만나서 함께 과제 준비하기
③ 솔직하게 미안하다고 말하기

3) 여러분은 안나 씨에게 어떤 방법을 추천하고 싶어요?

2. 여러분은 다른 사람과 말다툼을 한 적이 있어요? 다음과 같이 이야기해 보세요.

며칠 전에 동생이 제 옷을 가지고 여행을
갔어요. 제가 좋아하는 옷인데 말하지 않고
그냥 가지고 가서 화가 났어요. 그런데 동생이
여행을 다녀온 뒤 미안하다고 하면서 선물을
줬어요. 그래서 지금은 괜찮아요.

1) 무슨 일이 있었어요? 왜 싸웠어요?

2) 어떻게 화해했어요?
그 후에 어떻게 지내고 있어요?

| 발음 🔊 | 같이 [가티] ↓ [가치] | 받침 'ㄷ, ㅌ' 뒤에 모음 'ㅣ'가 오면 'ㄷ, ㅌ'은 [ㅈ, ㅊ]으로 발음돼요. | 듣고 따라 해 보세요. • 어차피 지정석이니까 **굳이** 일찍 가서 줄 안 서도 돼. • 소파를 벽 쪽에 **붙이세요**. • **똑같이** 그려 보세요. |

화해하는 방법

1. 화해를 할 때 가장 중요한 것은 뭐라고 생각해요? 다음 글을 읽고 질문에 답하세요.

≡ | 🏠 | ✈ | 📖 | 🍴

화해의 기술

우리는 여러 가지 이유와 상황 때문에 가까운 사람과 싸우거나 다투는 경우가 있다. 사람은 모두 다르기 때문에 이런 일이 생기는 것이다. 많은 사람들이 이런 문제가 생겼을 때 화해를 아주 어려워한다. 어떻게 하면 화해를 잘할 수 있을까?

화해의 기술 1

싸우고 나서 먼저 말을 꺼내기는 쉽지 않다. 그렇지만 먼저 용기를 내지 않으면 아무것도 할 수 없다. 대화의 시작이 가장 중요하다. "커피 한잔할까?", "잠깐 이야기 좀 할 수 있어?"와 같이 가벼운 말로 용기를 내서 대화를 시작하면 화해의 절반은 성공!

화해의 기술 2

화해를 할 때, "미안해, 용서해 줘. 다음부터는 안 그럴게."와 같은 말은 좋지 않다. 정확하게 사과해야 한다. 무엇을 잘못했는지 말한 후에 사과하는 말을 해야 한다. "내가 약속 시간을 못 지키고 자주 기다리게 해서 정말 미안해."라고 말하는 것이 좋다.

화해의 기술 3

화해는 문제를 해결하고 더 좋은 관계를 만들기 위한 것이다. 앞으로 이런 문제가 생겼을 때 어떻게 해결할지에 대해 이야기해야 한다. "난 네가 화났을 때 말을 안 하는 것이 좀 답답해. 이야기를 같이 했으면 좋겠어.", "아, 그랬구나. 그동안 몰랐어. 앞으로는 이야기를 하려고 노력할게."라고 말한다면 화해는 성공!

---

1) 읽은 내용과 같으면 ○, 다르면 × 표시를 하세요.

① 모든 사람은 다른 점이 있어서 싸움을 하게 된다. ( )

② 사과를 하기 전에 누가 먼저 잘못했는지를 알아야 한다. ( )

③ 화해를 할 때 가장 중요한 것은 대화를 시작하는 것이다. ( )

④ 화해를 할 때 내가 잘못한 것에 대해 정확하게 설명해야 한다. ( )

⑤ 화해를 할 때 앞으로 문제가 생겼을 때 어떻게 할지에 대해서 이야기한다. ( )

2. 친구가 나에게 사과를 했다면 어떻게 말할지 써 보세요.

> 수지야, 미안해. 내가 말실수했어. 다음부터 안 그럴게.
>
> 오후 2:47

오후 3:05

이렇게 말해요

너, 어쩜 그렇게 **입이 가볍니**? 내가 비밀 지켜 달라고 부탁했잖아.

정말 미안해. 내가 실수했어. 다음부턴 조심할게.

자기 점검

◇ 후회되는 일을 말할 수 있어요?

◇ 잘못한 일에 대해 사과할 수 있어요?

캠핑을 같이 간다거나
친목 모임을 해요

동호회를 소개하고 권유할 수 있어요.

01
이 사람들은 모여서 무엇을 하고
있나요?

02
다른 사람들과 함께 모여서 하는
활동의 장점은 무엇일까요?

03
여러분 나라에서는 어떤 동호회나
모임을 많이 해요?

이야기를 하면서 알게 된 어휘

동호회 활동

1. 다음 어휘의 뜻을 알아볼까요? 여러분이 들어 본 어휘에 ∨ 표시를 해 보세요.

동호회 / 동아리 / 소모임

운동 동호회	음식 동호회	야외 활동 동호회
☐ 마라톤 ☐ 자전거 ☐ 스키	☐ 와인 ☐ 커피 ☐ 맛집 탐방	☐ 캠핑 ☐ 자동차 ☐ 낚시

☐ 동호회를 만들다   ☐ 회원을 모집하다   ☐ 회비를 내다

☐ 동호회에 가입하다   ☐ 동호회에 나가다   ☐ 모임을 하다

☐ 정보를 공유하다   ☐ 인맥을 쌓다   ☐ 친목을 다지다

2. 1번을 참고하여 그림을 보고 알맞은 어휘를 써 보세요.

1) 회원을 모집해요.

2) ....

3) ....

4) ....

3. 위에서 배운 어휘를 활용하여 하고 싶은 동호회 활동을 이야기해 보세요.

저는 연극 동호회에 가입하고 싶어요. 고등학교 때부터 연극을 좋아했거든요.

-아/어 가지고

가 : 많이 피곤해 보이는데 무슨 일 있어?

나 : 요즘 일이 너무 많아 가지고 잠을 못 잤어요.

가 : 오늘 왜 지각했어?

나 : 아침에 자동차 사고가 나 가지고 늦었어.

영화를 좋아해 가지고 영화 동호회를 만들었어요.

---

1. 다음과 같이 대화를 완성해 보세요.

> 감기에 걸렸나 봐요.
>
> 옷을 얇게 입어 가지고 감기에 걸렸어요.

1) 가 : 어떻게 테니스 동호회 활동을 시작하게 됐어요?

   나 : .... 시작했어요.

2) 가 : 무슨 일 있어요? 얼굴이 안 좋아 보여요.

   나 : .... 기분이 좀 그래요.

3) 가 : 요즘 왜 이렇게 바빠요?

   나 : .... :

4) 가 : 어떻게 세종학당에서 한국어를 배우게 됐어요?

   나 : .... :

> ⊕ 더 알아봐요
>
> '-아/어 가지고'는 서로 가까운 관계의 사람들이 이야기할 때 주로 사용해요. 공적인 상황에서는 거의 사용하지 않아요. 또한 뜻밖의 일이 생긴 이유에 대해 이야기할 때 사용하면 조금 더 자연스러워요.
>
> • 오는 길에 친구를 만나 가지고 수업에 좀 늦었어요.

---

2. 여러분은 어떻게 한국어를 공부하게 됐어요? 다음과 같이 이야기해 보세요.

세종학당

> 친구가 추천하다
>
> 한국 드라마를 좋아하다
>
> ?

> 친구가 추천해 가지고 세종학당에서 공부하게 되었어요.

-는다거나 / ㄴ다거나

두 가지 이상의 사실을
나열할 때에 사용한다.

가 : 스트레스 해소에 뭐가 도움이 될까요?

나 : 저는 잠을 푹 잔다거나 매운 음식을 먹는다거나 하면 스트레스가 풀리더라고요.

가 : 주말에 보통 뭐 해요?

나 : 산책을 한다거나 가벼운 운동을 해요.

방학에 아르바이트를 한다거나 봉사 활동을 하는 학생도 많다.

---

1. 그림을 보고 문장을 완성해 보세요.

| 잠깐 잠을 자다 |
| + |
| 약을 먹다 |

머리가 아플 때는
잠깐 잠을 잔다거나 약을 먹어요.

1) | 맛있는 음식을 먹다 | + | 큰 소리로 노래를 부르다 |

우울할 때는 _____ :

2) | 교환을 하다 | + | 환불하다 |

인터넷으로 산 옷이 안 맞을 때는 _____ :

3) | 사전을 찾아보다 | + | 친구에게 물어보다 |

모르는 한국어 단어가 있을 때는 _____ :

4) | 책을 읽다 | + | 친구를 만나다 |

심심할 때는 _____ :

---

2. 여러분은 주말에 시간이 있을 때 무엇을 해요? 다음과 같이 이야기해 보세요.

저는 주말에 시간이 있을 때는 한국 드라마를
본다거나 한국 노래를 들어요.

⊕ 더 알아봐요

형용사는 '-다거나'를, 명사는
'(이)라거나'를 사용해요.

· 너무 색이 화려하다거나
  장식이 많은 옷은 좋아하지
  않아요.
· 시작이 반이라거나 천 리
  길도 한 걸음부터라는 말은
  시작의 중요성을 나타낸다.

동호회 가입

1. 동아리나 동호회에 가입해 본 적이 있어요? 재민 씨와 주노 씨가 동호회에 대해 이야기해요.
    다음을 잘 듣고 질문에 답하세요.

    재민: 주노 씨, 캠핑 동호회에 가입하지 않을래요?

    주노: 어, 갑자기 웬 캠핑 동호회예요?

    재민: 아, 제가 캠핑을 정말 좋아해 가지고 얼마 전에 동호회를 만들었거든요. 주노 씨도
    저번에 캠핑에 관심이 있다고 해서 물어봤어요.

    주노: 네. 저도 캠핑 좋아해요! 그럼 재민 씨는 동호회 사람들하고 같이 캠핑을 가는 거예요?

    재민: 네. 한 달에 한 번 캠핑을 가요. 그리고 평소에는 맛집을 찾아간다거나 친목 모임을
    해요. 모여서 캠핑에 대해 이야기하면서 인맥도 쌓고 정보도 공유하는 거죠.

    주노: 아, 그러면 저도 모임에 한번 나가 볼래요.

    1) 재민 씨는 주노 씨에게 무엇을 같이 하자고 이야기했어요?

    2) 재민 씨는 동호회 사람들과 모여서 무엇을 같이 해요?

2. 다른 사람들과 함께 동호회를 만들고 소개해 보세요.

    > 저희는 한국 노래를 좋아해 가지고 이번에 케이팝(K-POP)
    > 동호회를 만들려고 해요. 케이팝(K-POP)을 좋아하는
    > 사람이면 누구나 동호회 회원이 될 수 있어요.

		나	친구
만들고 싶은 동호회	케이팝(K-POP) 동호회		
동호회 가입 조건	케이팝(K-POP)을 좋아하는 사람이면 누구나		
동호회에서 하는 일			

동호회 회원 모집 안내

1. 한국에서는 어떤 동호회가 인기 있을까요? 다음 글을 읽고 질문에 답하세요.

생활 가구 제작 동호회

작은 선반부터 큰 침대까지!
다양한 가구를 함께 만들어 봐요.

- 가구를 만들어 본 경험이 없어도 가입할 수 있어요.
- 전문가에게 가구 만드는 방법을 배워 봐요.

가입 문의: 회장 박희영
(goodfurniture@koreakorea.com)

볼링 동호회

생활 속에서 즐길 수 있는 볼링,
누구나 쉽게 배울 수 있습니다.

- 모임: 매주 수요일 8시
- 볼링장 이용료 할인 혜택
- 볼링 자세 상세 지도

가입 문의: 회장 오연우
(gobowling@koreakorea.com)

한국 드라마 동호회

같이 드라마도 보고 한국어로 수다도
떨다 보면 어느새 한국어 실력도
쑥쑥!!

- 모임: 월 1회
- 매달 새로운 드라마를 같이 보고 한국어도 공부해요.

가입 문의: 회장 서한나
(lovekdrama@koreakorea.com)

1) 어떤 동호회에서 회원을 모집하고 있어요?

2) 여러분은 어떤 동호회에 관심이 있어요?

2. 여러분이 만든 동호회의 회원을 모집하는 안내문을 만들어 보세요.

와, 재민·씨는 텐트를 어떻게 그렇게 **뚝딱뚝딱** 잘 쳐요?

캠핑 동호회 활동을 오래 했거든요. 텐트 치는 것쯤이야 일도 아니죠.

자기 점검

◇ 동호회에서 하는 활동을 설명할 수 있어요?

◇ 동호회를 소개하고 권유할 수 있어요?

8

일하느라고 바빠서
오랫동안 못 갔어요

휴가 경험과 계획을 묻고 답할 수 있어요.

어떤 휴가지를 선호하시나요?

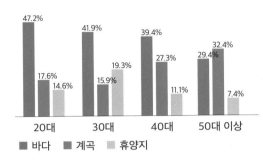

47.2% 17.6% 14.6%
41.9% 15.9% 19.3%
39.4% 27.3% 11.1%
29.4% 32.4% 7.4%

20대   30대   40대   50대 이상
■ 바다   ■ 계곡   ■ 휴양지

휴가 기간에 무엇을 하실 건가요?

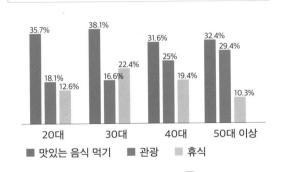

35.7% 18.1% 12.6%
38.1% 16.6% 22.4%
31.6% 25% 19.4%
32.4% 29.4% 10.3%

20대   30대   40대   50대 이상
■ 맛있는 음식 먹기   ■ 관광   ■ 휴식

01
무엇을 조사한 자료예요?

02
나이에 따라 휴가 때 가고 싶은
곳이나 하고 싶은 일이 어떻게
달라요?

03
여러분은 휴가 때 어디에 가고
싶어요? 무엇을 하고 싶어요?

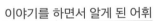
이야기를 하면서 알게 된 어휘

70

휴가

---

1. 다음 어휘의 뜻을 알아볼까요? 여러분이 들어 본 어휘에 ∨ 표시를 해 보세요.

$$\boxed{\text{휴가지}}$$

☐ 관광지　☐ 휴양지　☐ 유적지　☐ 호텔　☐ 펜션　☐ 리조트　☐ 게스트 하우스

☐ 재충전을 하다　　　☐ 밀린 일을 처리하다　　☐ 여유를 즐기다

☐ 볼거리가 많다　　　☐ 물가가 저렴하다　　　☐ 자연 경관이 뛰어나다

☐ 관광지를 둘러보다　☐ 기념품을 사다　　　　☐ 현지 문화를 체험하다

---

2. 1번을 참고하여, 다음 그림과 같이 이 사람이 휴가 때 한 일을 써 보세요.

1) 　여유를 즐겼어요.

2)

3)

4)

---

3. 위에서 배운 어휘를 활용하여 지난 휴가에 한 일을 이야기해 보세요.

> 휴양지에 가서 쉬다

> 유적지를 둘러보다

> 고향에 다녀오다

> ?

저는 그동안 쌓였던 피로를 풀려고 조용한 휴양지에 가서 쉬었어요.

-느라고

가 : 아까 전화 왜 안 받았어?

나 : 미안해. 자느라고 못 받았어.

가 : 그동안 어떻게 지냈어요?

나 : 유학 준비하느라고 좀 바빴어요.

어제 책을 읽느라고 밤을 새웠다.

아까 도서관 앞에서 제가 불렀는데 못 들었어요?

미안해요. 음악을 듣느라고 못 들었어요.

1.

다음에서 알맞은 것을 골라 대화를 완성해 보세요.

| 음악을 듣다 | 집에 다시 갔다 오다 | 밀린 집안일을 하다 | 시험 공부를 하다 | 회의를 준비하다 |

1) 가 : 주말에 푹 쉬었어요?

　　나 : 아니요. 요즘 바빠서 집안일을 하나도 못 해서요. ＿＿＿＿＿＿＿＿＿＿＿＿ 정신없었어요.

2) 가 : 보고서 쓰는 것 다 끝났어요?

　　나 : 아니요. ＿＿＿＿＿＿＿＿＿＿＿＿ 아직 다 못 끝냈어요.

3) 가 : 오늘 왜 지각했어요?

　　나 : 지갑을 집에 두고 와서 ＿＿＿＿＿＿＿＿＿＿＿＿ 늦었어요.

4) 가 : 요즘 어떻게 지내요?

　　나 : 다음 주에 시험이 있어요. ＿＿＿＿＿＿＿＿＿＿＿＿ 좀 바빠요.

⊕ 더 알아봐요

'-느라고'는 이유를 나타내는 표현이에요. 주로 어떤 일을 못 하거나 부정적인 결과가 생겼을 때 사용해요. '-아서/어서'는 이유를 나타내는데 긍정적인 상황에서도 사용할 수 있어요.

- 청소기를 돌리느라고 전화를 못 받았어요.
- 오랜만에 청소기를 돌려서 방이 깨끗해졌어요.

2.

이 일들을 못 한 이유는 뭐예요? 다음과 같이 이야기해 보세요.

오전부터 시작한 회의가 2시에 끝났어요. 회의를 하느라고 아직 점심을 못 먹었어요.

	무엇을 했어요?	무엇을 못 했어요?
1)	회의를 했어요.	점심을 못 먹었어요.
2)		청소를 못 했어요.
3)		친구를 못 만났어요.
4)		

-기는요

가 : 오늘도 학교에 제일 먼저 왔네요. 정말 부지런해요.

나 : 부지런하기는요. 집이 가까워서 일찍 온 건데요, 뭐.

가 : 어제 늦게까지 회의 준비 도와줘서 정말 고마워요.

나 : 고맙기는요. 별로 어려운 일도 아니었는데요.

휴가라서 좋기는. 밀린 집안일을 해야 해.

---

1. 다음과 같이 대화를 완성해 보세요.

> 우아, 안나 씨 노래를 정말 잘 부르네요.
>
> 잘 부르기는요. 저보다 잘 부르는 사람이 얼마나 많은데요.

1) 가 : 마크 씨는 한국어를 정말 잘하네요.

   나 : _____. 한국어를 잘하려면 아직 멀었어요.

2) 가 : 도와줘서 정말 고마워요. 책이 많이 무겁죠?

   나 : _____. 몇 권 되지도 않는데요, 뭐.

3) 가 : 해리 씨는 여행을 자주 가는 것 같아요.

   나 : _____. 일 년에 한두 번인데요.

4) 가 : 와, 한국 역사도 잘 아는구나.

   나 : _____. 그냥 관심이 있어서 책을 읽은 적이 있을 뿐이야.

> ⊕ 더 알아봐요
>
> '-기는요'는 다른 사람이 나에게 사과나 감사를 표현했을 때, 대답으로 사용하는 경우도 많아요.
>
> • 미안하기는요.
>   고맙기는요.

---

2. 다른 사람에게 칭찬을 들었을 때 어떻게 대답해요? 다음과 같이 이야기해 보세요.

> 저는 한국어 발음이 어려워서 고민이에요. 그런데 안나 씨는 한국어 발음이 정말 좋네요!

> 발음이 좋기는요. 저도 발음이 어려워서 매일 5분씩이라도 연습하려고 노력하고 있어요.

	무엇을 칭찬해요?	뭐라고 대답해요?
1)	한국어 발음	발음이 좋기는요.
2)	운동	
3)	요리	
4)		

휴가 계획

1. 보통 휴가나 방학을 어떻게 보내요? 마리 씨와 재민 씨가 휴가 계획을 이야기해요.
   다음을 잘 듣고 질문에 답하세요.

마리: 재민 씨, 휴가 계획 세웠어요?

재민: 네. 고향에 다녀오려고요. 일하느라고 바빠서 오랫동안 못 갔거든요.

그리고 제 사촌 동생 결혼식에도 가야 하고요. 마리 씨는요?

마리: 저는 여행을 가려고요. 그런데 어디로 갈지는 아직 결정 못 했어요.

재민: 그럼 제 고향에 같이 가 볼래요? 마리 씨 한국에 관심 많잖아요.

가서 한국 구경도 하고 저하고 제 사촌 동생 결혼식에도 가 보는 건 어때요?

마리: 아, 정말요? 저는 좋은데 제가 가면 재민 씨 가족들이 불편해하지 않을까요?

재민: 불편해하기는요. 저희 가족들도 마리 씨가 온다고 하면 좋아할 거예요.

1) 재민 씨는 휴가 때 고향에 가서 무엇을 할 거예요?

2) 재민 씨는 왜 마리 씨에게 자신의 고향에 같이 가자고 말했어요?

2. 여러분의 휴가 계획을 이야기해 보세요.

> 휴가를 언제쯤 갈 생각이에요?
>
> 저는 7월 말쯤에 가려고 해요.

		나	친구
휴가 일정	7월 말		
휴가지	바다		
휴가지에서 할 일			

발음	오랫동안 [오랟동안] ↓ [오랟똥안]	받침소리 [ㄷ] 뒤에 오는 'ㄱ, ㄷ, ㅂ, ㅅ, ㅈ'은 [ㄲ], [ㄸ], [ㅃ], [ㅆ], [ㅉ]으로 발음해요.	듣고 따라 해 보세요. • 오랫동안 고향에 못 갔어요. • 옷걸이가 필요해요. • 찻잔을 모으는 것이 취미예요.

여름 휴가

1. 2박 3일 동안 휴가를 간다면 어디로 가고 싶어요? 다음을 읽고 질문에 답하세요.

1일차

#강릉_KTX #서울에서_1시간_30분
#창문_밖_풍경
7월 25일

2일차

#강릉_커피_거리 #안목해변
#커피_맛집 #사진_찍기_명당
#파란_바다_파란_하늘
7월 26일

3일차

#휴식 #한옥 #멋진_분위기
#강릉_음식 #순두부 #반찬_많음
7월 27일

1) 이 사람은 언제, 어디로 휴가를 다녀왔어요?

2) 이 사람의 휴가 일정을 간단히 정리해 보세요.

2. 위의 에스엔에스(SNS)를 보고 여름 휴가에 대해서 써 보세요.

　서울역에서 케이티엑스(KTX)를 타고 강릉에 다녀왔다. 한국에서 기차를 타는 것은 처음이라서 기대가 많이 됐다. 창문 밖으로 보이는 풍경을 구경하느라고 시간 가는 줄 몰랐다.

　1일차에는 숙소에 너무 늦게 도착해서 짐을 풀자마자 잠이 들었다.

　2일차에는

　3일차에는

이렇게
말해요

휴가 어떻게 보냈어요?

멀리 안 가고 가족하고 다 같이 가까운 호텔에 가서 **호캉스** 했어요.

자기 점검

◇ 휴가 계획을 묻고 답할 수 있어요?

◇ 휴가 경험을 시간 순서대로 말할 수 있어요?

두 사람이 많이 부러운 모양이에요

원하는 결혼식에 대해 말할 수 있어요.

01
이 사람들이 입은 옷은 언제 입는
거예요?

02
여러분은 결혼식에 가 본 적이
있어요?

03
여러분 나라의 결혼식은 어때요?

이야기를 하면서 알게 된 어휘

결혼

---

1. 다음 어휘의 뜻을 알아볼까요? 여러분이 들어 본 어휘에 ∨ 표시를 해 보세요.

☐ 연애하다	☐ 선을 보다	☐ 청혼하다	☐ 결혼하다
☐ 청첩장	☐ 결혼식(장)	☐ 신랑/신부	☐ 전통 혼례
☐ 축의금	☐ 주례	☐ 신랑 신부 입장	☐ 주례사
☐ 혼인 서약서 낭독	☐ 축가	☐ 신랑 신부 행진	☐ 폐백을 드리다
☐ 피로연	☐ 신혼여행		

---

2. 1번을 참고하여 다음 그림에 알맞은 어휘를 써 보세요.

1)

2)

3)

4)

5)

❈ 식순 ❈

1) 신랑 신부 입장 ....

2) ....

3) ....

4) ....

5) ....

---

3. 여러분은 친구의 결혼식에서 사회를 맡았습니다. 위에서 배운 어휘를 활용하여 식순에 따라서 결혼식을 진행해 보세요.

> 지금부터 신랑 유지호, 신부 박미나의 결혼식을 시작하겠습니다. 먼저, 신랑 신부가 입장하겠습니다.

-는/(으)ㄴ 모양이다

어떤 사실이나 상황을 가지고 추측할 때 사용한다.

가 : 주노 씨가 자꾸 웃는 걸 보니 좋은 일이 있는 모양이에요.

나 : 네. 얼마 전에 소개팅을 했는데 좋은 사람을 만났다고 해요.

가 : 과장님이 재민 씨에게 왜 저렇게 화를 내시지?

나 : 재민 씨가 뭔가 크게 실수한 모양이에요.

마리 씨가 급하게 뛰어가는 걸 보니 수업에 늦은 모양이다.

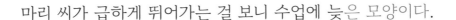

주노 씨가 오늘 하루 종일 바빠 보이네요.

그러네요. 주노 씨가 오늘 일이 많은 모양이에요.

1.

다음에서 알맞은 것을 골라 대화를 완성해 보세요.

테니스를 잘 치다

무슨 일이 생기다

일이 많다

화가 풀리다

1) 가 : 유진 씨가 테니스 대회에서 상을 받았다고 해요.

　　나 : 그래요? 유진 씨가 _____ .

2) 가 : 도서관 앞에서 진 씨랑 만나기로 한 거 맞죠?

　　나 : 네. 전화해도 안 받네요. 진 씨한테 _____

　　　　_____ .

3) 가 : 안나 씨가 웃는 걸 보니 _____ .

　　나 : 그래요? 아깐 정말 화가 많이 난 것 같았어요.

2.

어떤 상황인 것 같아요? 그림을 보고 어떤 상황인지 이야기해 보세요.

1) 　　2) 　　3)

신랑 혼자 있는 걸 보니까 아직 결혼식이 시작되지 않은 모양이에요. 그리고 신랑이 활짝 웃고 있어요. 정말 행복한 모양이에요.

같이

가 : 따님 결혼 축하드려요. 그런데 오늘같이 좋은 날 왜 우세요?

나 : 그러게요. 기쁜데 자꾸 눈물이 나네요.

가 : 제주도 경치가 어땠어요?

나 : 정말 그림같이 아름다웠어요.

우리 선생님은 바다같이 마음이 넓은 분이다.

와, 이 그림 좀 보세요. 정말 사진같이 그렸어요.

와, 그렇네요. 저는 사진이라고 생각했어요.

---

1. 다음과 같이 대화를 완성해 보세요.

1) 가 : 신랑이 직접 축가를 부르네요.

    나 : 준비를 많이 했다고 해요. 진짜 _____ 노래를 잘하네요.

2) 가 : 안나 씨는 어떤 사람하고 결혼하고 싶어요?

    나 : 음. 저는 _____ 편안한 사람이랑 결혼하고 싶어요.

3) 가 : 무슨 일 있었어요? 얼굴이 진짜 _____ 빨개요.

    나 : 오다가 길에서 넘어졌는데 사람들이 많아 정말 부끄러웠거든요.

4) 가 : 두 사람은 얼굴도, 습관도 정말 비슷한 것 같아요.

    나 : 주노 씨가 봐도 그래요? 친구들이 우리를 보고

    _____ 닮았다고 해요.

⊕ 더 알아봐요

'같이'는 '처럼'과 바꿔 쓸 수 있어요. 그러나 '불같이 화를 내다', '새처럼 날고 싶다' 등과 같이 비유적인 표현이 굳어져 사용되는 경우에는 '같이'와 '처럼'을 바꾸어 사용하면 어색한 표현이 돼요.

---

2. 이 사람들은 어떤 사람들이에요? 다음과 같이 이야기해 보세요.

친구

가족

선생님

?

제 친구 마리 씨는 한국 사람같이 한국어를 잘해요. 저하고 마리 씨는 유새이 팬이에요. 마리 씨는 유새이를 좋아해서 3년 전부터 한국어를 배웠어요. 처음에는 한국어를 잘 못했는데 열심히 공부해서 지금은 아주 잘해요.

결혼식

---

1. 한국의 결혼식을 본 적이 있어요? 재민 씨와 마리 씨가 재민 씨의 동생 결혼식에 갔어요.
    다음을 잘 듣고 질문에 답하세요.

    재민: 제 동생 드레스 입은 모습이 예쁘기는 한데 조금 낯설어요.

    　　　　그래도 두 사람 참 잘 어울리는 것 같죠?

    마리: 네. 정말 잘 어울려요. 그런데 한국에서는 결혼할 때 한복을 입지 않아요?

    재민: 요즘은 대부분 드레스를 입어요. 전통 혼례를 하거나 결혼식이 끝나고 어른들께 인사를

    　　　　드릴 때는 한복을 입고요.

    마리: 그렇군요. 아, 두 사람은 좋겠다. 저도 재민 씨 동생같이 아름다운 신부가 되고 싶네요.

    재민: 두 사람이 많이 부러운 모양이네요. 마리 씨도 빨리 결혼해요. 제가 꼭 가서 축하해 줄게요.

    1)   요즘 한국에서는 신부가 결혼식 때 무엇을 많이 입어요?

    2)   들은 내용과 같으면 ○, 다르면 ✕ 표시를 하세요.

       ①   마리 씨는 결혼을 했어요.　　　　　　　　　　　　　　　　(　　　)

       ②   두 사람은 재민 씨 동생의 결혼식에 갔어요.　　　　　　　(　　　)

       ③   결혼식이 끝나고 어른들께 인사를 드릴 때 한복을 입어요. (　　　)

---

2. 여러분은 어떤 결혼식을 하고 싶어요? 다음과 같이 이야기해 보세요.

    1)   어디에서 결혼식을 하고 싶어요?

    2)   무엇을 입고 싶어요?

    3)   결혼식은 어떤 순서로 진행하고 싶어요?

    4)   신혼여행은 어디로 가고 싶어요?

    어떤 결혼식을 하고 싶어요?

    저는 가족과 친구들만 초대해서 작은 결혼식을
    하고 싶어요. 그리고 제가 직접 만든 드레스를
    입을 거예요.

한국의 결혼 문화

1. 결혼식을 하기 전에 어떤 것을 준비해요? 다음을 읽고 질문에 답하세요.

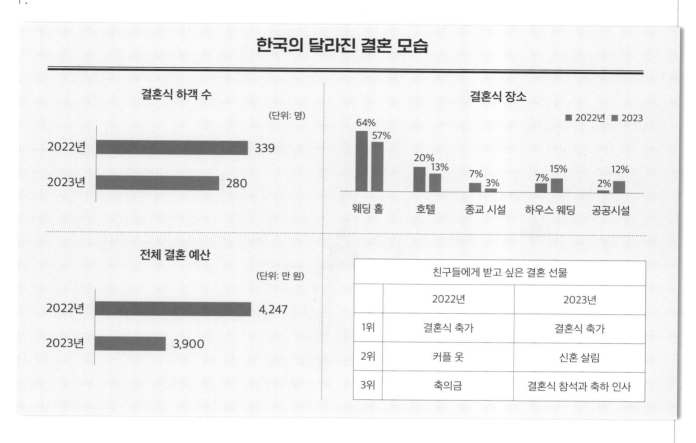

1) 읽은 내용과 같으면 ○, 다르면 × 표시를 하세요.

① 2022년보다 2023년에 결혼식에 가는 사람이 늘었다.　　　(　　　)

② 2022년보다 2023년에 결혼식에 필요한 돈이 줄었다.　　　(　　　)

③ 신혼부부가 친구들에게 가장 받고 싶어 하는 선물은 축가이다.　(　　　)

④ 2022년보다 2023년에 호텔에서 결혼식을 하는 사람이 줄었다.　(　　　)

2. 여러분 나라의 결혼 문화는 어떻게 달라졌는지 써 보세요.

이렇게 말해요

안나 씨, 저 드디어 **장가가요**!

진짜요? 정말 축하해요.

팀장님, 저 다음 달에 **시집가요**.

그래요? 축하해요. 꼭 초대해요.

자기 점검

◇ 결혼하고 싶은 사람에 대해 말할 수 있어요?

◇ 원하는 결혼식에 대해 말할 수 있어요?

10

떡국을 한 그릇 다 먹었더니
배가 불러요

고향의 명절을 소개할 수 있어요.

01
이 사람들은 무엇을 하고 있어요?

02
여러분 나라에서는 새해에
무엇을 해요?

03
여러분 나라에는 어떤 명절이 있어요?

이야기를 하면서 알게 된 어휘

명절

---

1. 다음 어휘의 뜻을 알아볼까요? 여러분이 들어 본 어휘에 ∨ 표시를 해 보세요.

☐ 설날   ☐ 추석   ☐ 정월 대보름

☐ 차례를 지내다   ☐ 떡국을 먹다   ☐ 송편을 먹다

☐ 오곡밥을 먹다   ☐ 부럼 깨물기   ☐ 세배를 하다/드리다

☐ 세뱃돈을 주다/받다 ☐ 덕담을 하다   ☐ 달맞이를 하다

☐ 소원을 빌다   ☐ 윷놀이를 하다   ☐ 씨름을 하다

☐ 새해 복 많이 받으세요   ☐ 풍성한 한가위 보내세요

---

2. 다음 한국의 명절에 무엇을 해요? 1번을 참고하여 알맞은 어휘를 써 보세요.

설날	추석	정월 대보름

떡국을 먹어요.

---

3. 위에서 배운 어휘를 활용하여 여러분이 한국의 명절에 해 보고 싶은 일을 이야기해 보세요.

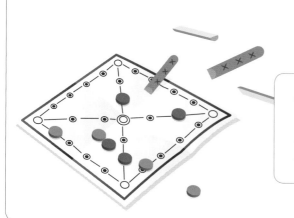

저는 윷놀이를 해 보고 싶어요. 텔레비전에서 봤는데 재미있어 보였어요. 친구들하고 같이 하면 정말 즐거울 것 같아요.

-던데요

가 : 설날에 떡국 많이 먹었어요?

나 : 네. 많이 먹었어요. 정말 맛있던데요.

가 : 이 영화 봤어요? 주말에 보러 가려고 하는데.

나 : 네. 봤어요. 좀 무섭기는 했지만 재미있던데요.

유진 씨는 수업이 끝나자마자 집에 가던데요.

아까 안나 씨 한복 입은 거 봤어요?

네. 한복이 잘 어울리던데요.

1. 다음에서 알맞은 것을 골라 대화를 완성해 보세요.

| 만들기 쉽다 |
| 급하게 뛰어가다 |
| 웃으면서 집에 가다 |
| 차가 많이 밀리다 |
| 한복이 잘 어울리다 |

1) 가 : 혹시 송편 만들어 봤어요?

   나 : 네. 문화 체험 때 만들어 봤는데 _____ .

2) 가 : 주노 씨, 유진 씨 못 봤어요?

   나 : 유진 씨요? 무슨 일이 있는지 _____ .

3) 가 : 안나 씨, 마리 씨한테 좋은 일 있어요?

   _____ .

   나 : 오늘 한국어능력시험 결과가 나오는 날인데, 합격한 모양이에요.

4) 가 : 이번 설날 고향에 갈 때 직접 운전해서 갔어요?

   나 : 네. 연휴 첫날부터 정말 _____ .

2. 최근 친구에 대해 새롭게 알게 된 것이 있어요? 다음과 같이 이야기해 보세요.

얼마 전에 주노 씨 집에서 저녁을 먹었어요. 주노 씨가 요리를 해 줬는데 요리를 정말 잘하던데요.

가 : 유진 씨, 한복이 참 잘 어울려요.

나 : 고마워요. 친구 집에도 한복을 입고 갔더니 모두 멋있다고 했어요.

가 : 유미한테 무슨 일 있어? 주말 잘 보냈냐고 물었더니 아무 말도 안 하더라고.

나 : 글쎄, 나도 잘 모르겠어.

친구들에게 한국 음식을 만들어 주었더니 친구들이 정말 맛있게 먹었다.

1.　　　다음에서 알맞은 것을 골라 대화를 완성해 보세요.

> 뭐 좋은 일 있어요?

> 네. 할아버지께 세배를 드렸더니 세뱃돈을 많이 주셨어요.

신경을 쓰다

세배를 드리다

밥을 많이 먹다

전화를 하다

운전을 하다

1) 가 : 마크 씨, 어디 불편해요?

　　나 : 네. 배가 고파서 ＿＿＿＿＿＿＿＿＿＿＿＿ 소화가 안 되네요.

2) 가 : 수지 씨, 추석 잘 보냈어요? 그런데 많이 피곤해 보이네요.

　　나 : 네. 고향에 갈 때 기차를 타지 않고 ＿＿＿＿＿＿＿＿＿ 좀 피곤하네요.

3) 가 : 이번 문화 체험은 언제까지 신청해야 해요?

　　나 : 저도 몰라서 사무실에 ＿＿＿＿＿＿＿＿＿ 금요일까지라고 했어요.

4) 가 : 혹시 두통약 있어요? ＿＿＿＿＿＿＿＿＿ 머리가 많이 아프네요.

　　나 : 잠깐만요. 제 방에 있을 거예요.

2.　　　최근 여러분에게 생긴 좋은 변화가 있어요? 다음과 같이 이야기해 보세요.

한국어 말하기 실력이 늘다

건강해지다

?

> 매일 두 시간씩 연습했더니 한국어 말하기 실력이 늘었어요.

새해 아침

1. 1월 1일 아침에 무엇을 해요? 재민 씨와 마리 씨가 설날에 대해 이야기해요.
다음을 잘 듣고 질문에 답하세요.

재민: 마리 씨, 식사 다 했으면 차하고 한과 좀 드세요.

마리: 맛있겠네요. 그런데 떡국을 한 그릇 다 먹었더니 배가 너무 불러요.
재민 씨 어머니께서 떡국을 한 그릇 다 먹어야 한 살 더 먹는다고 하셨어요.

재민: 맞아요. 하하! 떡국 맛은 어땠어요? 입에 맞았어요?

마리: 네. 진짜 맛있던데요. 어머니 요리 솜씨가 정말 좋은 것 같아요.
참, 할아버지 댁에 세배하러 언제 가요?

재민: 이거 먹고 가요. 할아버지 댁에 가서 세배하고 윷놀이도 하고 와요. 윷놀이 할 줄 알죠?

마리: 그럼요. 저 윷놀이 잘해요. 문화 수업에서 해 봤는데 좀 어렵지만 재미있던데요.

1) 재민 씨 어머니는 설날에 왜 떡국을 한 그릇 다 먹어야 된다고 하셨어요?

2) 들은 내용과 같으면 ○, 다르면 × 표시를 하세요.

① 마리 씨는 떡국을 맛있게 먹었어요.　　　(　　　)

② 마리 씨는 윷놀이를 해 본 적이 없어요.　(　　　)

③ 마리 씨는 할아버지께 세배를 드렸어요.　(　　　)

2. 여러분 나라의 대표적인 명절을 소개해 보세요.

> 한국의 대표적인 명절은 설날이에요. 설날에는 어른들께 세배를 해요. 가족들과 떡국을 먹고 윷놀이를 해요.

1) 명절의 이름이 무엇이고, 언제예요?

2) 그 명절은 어떤 의미가 있어요?

3) 그 명절에 먹는 음식, 하는 일, 하는 놀이는 뭐예요?

| 발음 | 윷놀이 [윧놀이] ↓ [윤놀이] | 받침소리 [ㄷ] 뒤에 'ㄴ, ㅁ'이 오면 [ㄷ]은 [ㄴ]으로 발음해요. | 듣고 따라 해 보세요. | • **윷놀이** 할 줄 알죠?
• 생일 선물로 **꽃만** 샀어요.
• **눈빛만** 봐도 알 수 있어요. |

한가위 행사

---

1. 한가위는 어떤 명절이에요? 다음 글을 읽고 질문에 답하세요.

즐거운 한가위, 하나 되는 한가위!

* 참석한 모든 분께 기념품을 드려요.

세종학당에서는 한국 고유의 명절인 한가위를 맞이하여 세종학당 학생들과 한국 문화에 관심 있는 사람들을 대상으로 한가위의 풍습과 전통 놀이 등을 체험할 수 있는 행사를 진행하려고 합니다. 여러분의 많은 참여를 바랍니다.

일시	10월 1일(목) **장소** 세종학당 3급 강의실
내용	민속놀이 체험, 한복 입기 체험, 삼행시 짓기 대회 (모두 무료)

- 민속놀이 체험: 제기차기, 널뛰기, 연날리기, 투호

- 한복 입기 체험: 선착순 100명까지

- 삼행시 짓기 대회: 사무실에서 신청 가능 (당일 신청 가능)

문의 세종학당 사무실 (123-4567)

---

1) 어떤 명절 행사일까요?   ① 설날   ② 추석

2) 읽은 내용과 같으면 ○, 다르면 × 표시를 하세요.

① 민속놀이를 하려면 돈을 내야 해요.   (   )

② 행사에 가면 기념품을 받을 수 있어요.   (   )

③ 한복 입기 체험은 100명만 참여할 수 있어요.   (   )

④ 이 행사에는 세종학당 학생만 참여할 수 있어요.   (   )

⑤ 삼행시 짓기 대회에 참여하려면 대회 전날까지 꼭 미리 신청해야 해요. (   )

---

2. 위의 행사 중에서 '삼행시 짓기 대회'에 참여해 보세요.

이름 : ....

㉠ 한

㉡ 가

㉢ 위

안나 씨, 초대해 줘서 고마워요. 와, 언제 이 많은 음식을 다 준비했어요?

와 줘서 고마워요. **차린 건 없지만 많이 드세요.**

자기 점검

◇ 한국의 명절에 대해 설명할 수 있어요?

◇ 고향의 명절을 소개할 수 있어요?

11

자격증 준비나 외국어 공부도
미리 해 두면 좋을 거야

취업하고 싶은 직장에 대해 말할 수 있어요.

01
이 사람들은 무엇을 하고 있어요?

02
여러분은 취업을 위해서
어떤 준비를 하고 있어요?

03
여러분은 취업과 관련된 정보를
어떻게 얻어요?

이야기를 하면서 알게 된 어휘

취업

1.　다음 어휘의 뜻을 알아볼까요? 여러분이 들어 본 어휘에 ∨ 표시를 해 보세요.

☐ 신입/경력 사원　　　　☐ 직장 상사/동료　　　　☐ 적성에 맞다

☐ 이력서/자기 소개서를 쓰다　　☐ 입사 지원서를 내다　　☐ 면접을 보다

☐ 입사하다　　　　　　☐ 승진하다　　　　　　☐ 복지가 좋다

☐ 연봉이 높다　　　　　☐ 인턴십을 하다　　　　☐ 자격증을 따다

☐ 경력을 쌓다

2.　1번을 참고하여, 그림과 같이 회사에 지원하는 순서를 써 보세요.

 →  →  →

1)　이력서를 써요　　　　　　　　　　　　　　　　　　　　　　　　.

2)　　　　　　　　　　　　　　　　　　　　　　　　　　　　　　　.

3)　　　　　　　　　　　　　　　　　　　　　　　　　　　　　　　.

4)　　　　　　　　　　　　　　　　　　　　　　　　　　　　　　　.

3.　위에서 배운 어휘를 활용하여 여러분이 직장을 구할 때 가장 중요하게 생각하는 조건을 이야기해 보세요.

　적성

　복지

　연봉

　?

저는 적성을 가장 중요하게 생각해요.
제가 잘할 수 있는 일을 해야 오래
일할 수 있으니까요.

-아 / 어 가다

어떤 동작이나 행위가 계속 변화하거나
진행되어 감을 나타낸다.

가 : 한국 회사에서 일한 지 얼마나 되셨어요?

나 : 벌써 3년이 되어 가네요.

↘ 3년

가 : 아직 일 다 못 했어? 나 먼저 갈까?

나 : 거의 다 끝나 가니까 조금만 기다려 줘.

책을 거의 다 읽어 간다.

밥 다 먹었어? 카페에 가서 커피 한잔하자.

조금만 기다려. 밥 거의 다 먹어 가.

1. 다음과 같이 대화를 완성해 보세요.

1) 가 : 발표 준비는 다 했어?

　나 : 조금만 더 하면 돼. 거의 다 _____ .

2) 가 : 두 사람 참 많이 닮은 거 같아.

　나 : 오래 만나다 보니까 점점 _____ 것 같아.

3) 가 : 한국어를 공부한 지 오래됐어요?

　나 : 네. 벌써 3년이 다 _____ .

4) 가 : 지난번에 빌려 간 책 다 읽었어?

　나 : 거의 다 _____ . 내일 돌려줄게.

2. 끝나 가는 것이 아쉬운 일들이 있어요? 다음과 같이 이야기해 보세요.

세종학당 이번 학기가 거의 끝나 가요.
친구들을 만나지 못한다고 생각하니까
많이 아쉬워요.

학기

20대

대학 생활

?

-아/어 두다

어떤 행위의 결과가 그대로 유지되고
있음을 나타낸다. 또한 다른 행위를 대비하기
위해 어떤 행위를 할 때 사용한다.

가 : 오늘 시험이 있어서 밥을 잘 못 먹겠어.

나 : 그러면 안 돼. 힘을 내려면 밥을 잘 먹어 둬야 해.

가 : 도서관 회의실을 이용하려면 어떻게 해야 돼요?

나 : 일주일 전에 미리 예약해 두면 돼요.

열쇠를 책상 위에 놓아 두었다.

---

1. 다음과 같이 대화를 완성해 보세요.

> 이따 회의 전에 자료 말고 다른
> 것도 준비할 게 있을까요?

> 회의가 좀 길어질 것 같으니까 책상 위에 음료수를 놓아 두세요.

1) 가 : 다음 주부터 휴가 기간이라 비행기표 구하는 게 힘드네.

   나 : 나는 그럴 것 같아서 지난달에 미리 _____ :

2) 가 : 병원에 갔는데 환자들이 너무 많아서 오래 기다렸어요.

   나 : 그 병원은 항상 사람들이 많아서 미리 _____ :

3) 가 : 주말에 친구들이 오는데 집이 너무 더럽네.

   나 : 걱정하지 마. 내가 미리 _____ :

4) 가 : 내일 수학여행을 가는데 차멀미가 심해서 걱정이야.

   나 : 그럼 멀미약을 미리 _____ . 먹으면 도움이 될 거야.

---

2. 배낭여행을 가려고 해요. 여행을 가기 전에 무엇을 준비해 둬야 할까요?
다음과 같이 이야기해 보세요.

> 여행을 가려면 미리 돈을
> 환전해 둬야 해요.

| 환전 |
| 여권 |
| 비행기표 |
| 호텔 |
| ? |

취업 준비

1. 주변에 취업을 준비하는 사람이 있어요? 수지 씨가 선배와 취업 준비에 대해 이야기해요.
다음을 잘 듣고 질문에 답하세요.

수지: 선배, 회사 생활이 바쁠 텐데 시간 내 줘서 고마워요.

선배: 별말을 다 하네. 그러고 보니 나도 취업한 지 벌써 1년이 다 되어 가네. 시간 참 빨라.

수지: 선배는 취업 준비를 어떻게 했어요? 저는 어떤 걸 준비하면 좋을까요?

선배: 음. 우선 어떤 회사에서 일하고 싶은지는 결정했어? 그게 제일 중요해. 그래야
그 회사에서 원하는 조건을 알고 준비하지.

수지: 아, 전 그냥 복지가 좋은 회사에서 일하고 싶다고만 생각했는데 더 구체적으로
고민해야겠네요.

선배: 그렇지. 그러고 나서 필요한 자격증 준비나 외국어 공부도 미리 해 두면 좋을 거야.

1) 수지 씨는 왜 선배를 만나러 왔어요?

2) 선배는 취업한 지 얼마나 되었어요?

3) 선배는 수지 씨에게 어떤 조언을 해 줬어요?

2. 여러분은 취업을 위해 무엇을 준비하고 있어요? 다음과 같이 이야기해 보세요.

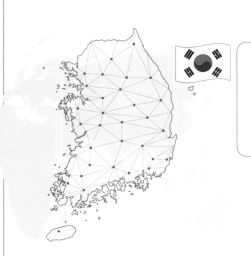

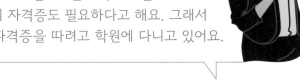

저는 한국의 무역 회사에서 일하고 싶어요.
무역 회사에서 일하려면 외국어도 잘해야 하고
여러 가지 자격증도 필요하다고 해요. 그래서
요즘에 자격증을 따려고 학원에 다니고 있어요.

1) 어떤 분야에 취업하고 싶어요?

2) 그 일을 하려면 어떤 능력이 필요해요?

3) 무엇을 준비하고 있어요?

일하고 싶은 직장

---

1. 취직하고 싶은 곳이 있어요? 다음 글을 읽고 질문에 답하세요.

세대별 선호하는 직장 조건

〈20대, 30대〉

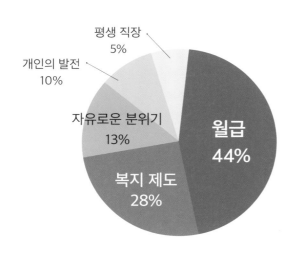

〈40대, 50대〉

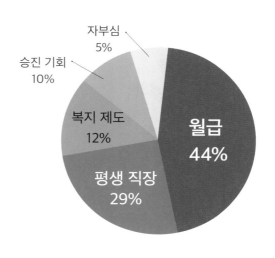

1) 세대와 상관없이 공통적으로 가장 선호하는 직장 조건은 뭐예요?

2) 20, 30대와 40, 50대가 선호하는 직장 조건은 무엇이 다른가요?

---

2. 여러분은 어떤 직장 조건을 선호하는지, 그 이유가 무엇인지 써 보세요.

졸업하고 취업할 생각을 하니 너무 걱정돼.

취준생들은 다 똑같은 심정이겠지. 나도 요새 잠이 잘 안 와.

자기 점검

◇ 취업할 때 무엇이 필요한지 말할 수 있어요?

◇ 취업하고 싶은 직장에 대해 말할 수 있어요?

12

한국으로 유학을 가려고
준비하는 중이에요

진로에 대해 말할 수 있어요.

01
여러분이 유학을 가게 되면
어떤 공부를 하고 싶어요?

02
유학을 가기 전에
어떤 준비를 해야 해요?

03
어떻게 하면 유학 생활을
잘할 수 있을까요?

이야기를 하면서 알게 된 어휘

유학 준비

---

1. 다음 어휘의 뜻을 알아볼까요? 여러분이 들어 본 어휘에 ∨ 표시를 해 보세요.

☐ 유학을 계획하다   ☐ 대학원에 등록하다   ☐ 집을 구하다

☐ 유학원을 알아보다   ☐ 비자 면접을 보다   ☐ 등록금을 내다

☐ 유학 사이트를 검색하다   ☐ 비자를 발급받다   ☐ 생활비를 벌다

☐ 재학 증명서를 떼다 / 서류를 떼다   ☐ 서류를 제출하다   ☐ 학비를 지원받다

---

2. 1번을 참고하여 다음 그림에 알맞은 어휘를 써 보세요.

1)

유학을 계획해요.

2)

....

3)

....

4)

....

5)

....

---

3. 위에서 배운 어휘를 활용하여 다음과 같이 이야기해 보세요.

유학을 가다

집을 구하다

생활비를 벌다

학비를 지원받다

한국으로 유학을 가고 싶은데 무엇을 준비하면 좋을까요?

유학을 가려면 먼저 무슨 공부를 하고 싶은지 생각해 보세요. 그리고 그 공부를 할 수 있는 학교를 알아보세요.

-기는 하다

가 : 한국 유학 준비는 잘 되고 있어?

나 : 준비하고 있기는 하지만 걱정되는 일이 많아.

가 : 미나 씨, 비자 받았어요?

나 : 비자 발급 신청을 하기는 했는데 시간이 좀 걸릴 것 같아요.

기숙사 방이 좁기는 한데 필요한 것들이 다 있어서 살기 편하다.

---

1. 다음과 같이 대화를 완성해 보세요.

> 마리 씨는 한국어를 정말 잘하시네요.
>
> 아니에요. 한국어를 열심히 배우고 있기는 하지만 아직 많이 부족한걸요.

1) 가 : 매운 음식 좋아해? 저녁에 매운 음식을 먹을까?

　　나 : 매운 음식을 ＿＿＿＿＿＿＿＿＿＿＿＿, 오늘은 속이 안 좋아서 다른 걸 먹고 싶어.

2) 가 : 영화가 정말 슬펐지? 나는 계속 울었어.

　　나 : ＿＿＿＿＿＿＿＿＿＿＿＿＿＿＿＿ 울 정도는 아니었어.

3) 가 : 머리 아픈 건 좀 괜찮아요?

　　나 : 약을 ＿＿＿＿＿＿＿＿＿＿＿＿ 아직도 조금 아프네요.

4) 가 : 이번에 봉사 활동을 해 보니 어땠어요?

　　나 : 봉사 활동이 좀 ＿＿＿＿＿＿＿＿＿＿ 뿌듯하고 기분이 좋았어요.

---

2. 이 집은 어때요? 다음과 같이 이야기해 보세요.

1)	넓다	어둡다
2)	좁다	깔끔하다
3)	시끄럽다	교통이 편리하다
4)		

> 이 집은 마음에 들어요? 어때요?

> 집이 넓기는 한데 좀 어두운 것 같아요.

-는 중이다

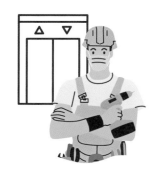

가 : 엘리베이터를 아직 타면 안 되나요?

나 : 네. 아직 고치는 중이에요.

가 : 졸업하려면 준비해야 할 것들이 많지요?

나 : 맞아요. 그래서 하나씩 준비하는 중이에요.

어떤 학교로 유학을 갈지 고민하는 중이다.

---

1. 다음과 같이 대화를 완성해 보세요.

> 이번 말하기 대회에서 1등을 하면 한국에 갈 수 있다고 해요.

> 맞아요. 그래서 다들 연습하는 중이에요.

1) 가 : 졸업을 하고 나서 무엇을 할 거예요?

　　나 : 저는 빨리 취업을 하고 싶어요. 그래서 요즘 일자리를 ＿＿＿＿＿＿＿＿＿＿＿＿.

2) 가 : 왜 안 먹고 가만히 있어? 입맛이 없어?

　　나 : 아니야. 너무 뜨거워서 그래. 조금 식을 때까지 ＿＿＿＿＿＿＿＿＿＿＿＿.

3) 가 : 저녁에 손님들이 온다고 했지? 집이 지저분할 텐데 어떡하지?

　　나 : 괜찮아. 내가 일찍 와서 지금 ＿＿＿＿＿＿＿＿＿＿＿＿.

4) 가 : 이번 휴가 때 어디로 갈지 정했어?

　　나 : 아니. 가고 싶은 곳이 많아서 아직 ＿＿＿＿＿＿＿＿＿＿＿＿.

> ⊕ 더 알아봐요
>
> 이야기를 할 때
> '(명사) 중이다'를 활용해서
> 간단하게 말할 수도 있어요.
>
> 가: 요즘 어떻게 지내요?
> 나: 요즘 취업 준비 중이에요.

2. 다음의 일들을 하기 위해서 무엇을 준비하고 있어요?
다음과 같이 이야기해 보세요.

> 유학을 가기 위해 무엇을 준비하고 있어요?

> 유학원을 알아보는 중이에요.

	유학		취업
1)	유학원을 알아보다	1)	컴퓨터 자격증을 준비하다
2)	서류를 준비하다	2)	
3)	한국에서 지낼 집을 알아보다	3)	
4)		4)	

유학 생활

1. 유학에 관심이 있어요? 안나 씨와 소피 씨가 유학 생활에 대해 이야기해요. 다음을 잘 듣고 질문에 답하세요.

안나: 소피, 요즘 잘 지내고 있지? 한국 생활은 어때?

소피: 나야 늘 그렇지. 이제 곧 졸업이라서 이것저것 준비할 게 좀 많네.

안나: 그렇구나. 사실 나도 내년에 한국으로 유학을 가려고 준비하는 중인데 잘 몰라서 전화했어.

소피: 그래? 너는 한국어는 잘하니까 학교랑 전공만 정하면 될 것 같은데.

안나: 아니야. 한국어를 배우기는 했지만 아직 좀 부족한 것 같아서 고민이야.

　　　그리고 서류에, 기숙사에, 챙겨야 할 게 너무 많네.

소피: 그러면 먼저 학교를 정하고 그 학교에 유학 준비 서류와 한국어 프로그램을 같이 물어봐.

　　　한국 대학교에는 유학생을 위한 상담 서비스가 잘 되어 있거든.

1) 안나 씨는 소피 씨에게 왜 전화를 했어요?

2) 들은 내용과 같으면 ○, 다르면 ✕ 표시를 하세요.

① 안나 씨는 공부하고 싶은 전공을 정했어요. 　　　　(　　)

② 안나 씨는 내년에 한국으로 유학을 가고 싶어 해요. (　　)

③ 소피 씨는 지금 한국에서 유학 생활을 하는 중이에요. (　　)

2. 여러분은 유학을 생각해 본 적이 있어요? 다음과 같이 이야기해 보세요.

> 저는 내년에 한국으로 유학을 갈 거예요.
> 대학원에서 한국어 통역을 공부하고 싶어요.
> 대학원을 졸업한 후에는 통역사가 되고 싶어요.

- 유학을 가서 무엇을 공부하고 싶어요?

- 유학을 가서 공부를 하고 난 후에는 무엇을 하고 싶어요?

발음 🔊	그렇구나 [그러쿠나]	받침 'ㅎ' 뒤에 오는 'ㄱ, ㄷ, ㅈ'은 각각 [ㅋ], [ㅌ], [ㅊ]으로 발음해요.	듣고 따라 해 보세요.	• **그렇구나.** 이제 알았어. • 인맥을 **쌓다.** • 나야 늘 **그렇지.**

면접시험 유의 사항

1. 학교나 회사 면접을 본 적이 있어요? 다음을 잘 읽고 질문에 답하세요.

대학교 면접시험 수험생 유의 사항

1. 면접 당일 수험표와 신분증을 지참하시기 바랍니다.

2. 수험생 대기 장소는 2층 회의실입니다.
   수험생은 반드시 입실 완료 시간까지 대기 장소에 입실 완료해야 합니다.

3. 반입 금지 물품은 절대 지참할 수 없습니다.
   스마트폰, 태블릿, 녹음기, 계산기를 포함한 모든 전자기기, 인쇄물(책 포함)

1) 읽은 내용과 같으면 ○, 다르면 × 표시를 하세요.

① 면접 당일 수험표를 가지고 가야 해요.   (   )

② 수험생은 2층 회의실에서 대기해야 해요.   (   )

③ 면접을 준비하는 책은 가지고 가도 괜찮아요. (   )

2. 입학 신청서를 완성해 보세요.

입 학 신 청 서

성 명 (한 글)		생년월일	년 월 일
한국어능력시험 등급		지원 학과	학과(전공)
학 력 (출신 학교)	년 월 일		고등학교 졸업

좋은 회사에 취업하려면 **스펙**을 잘 관리해야 해.

맞아. 자격증도 많이 따고 외국어 공부도 많이 해야겠어.

자기 점검

◇ 유학에 대해서 궁금한 것을 묻고 답할 수 있어요?

◇ 요즘 자신이 하는 일을 말할 수 있어요?

부록

듣기 지문 3B

01 🔊 할아버지, 할머니 이야기도 들어 드렸어요

활동 1 | 1번 | 18쪽

다른 사람들을 도와주는 걸 좋아하는 편이에요? 수지 씨와 유진 씨가 방학에 한 특별한 일을 이야기해요. 다음을 잘 듣고 질문에 답하세요.

수지: 유진 씨, 이번 방학에도 봉사 활동 다녀왔어요?
유진: 네. 이번에는 요양원에 다녀왔어요. 요양원에 계신 할머니, 할아버지하고 시간을 보냈는데요. 같이 산책이랑 운동도 하고, 할머니, 할아버지 이야기도 들어 드렸어요.
수지: 정말요? 저도 봉사 활동을 하고 싶은데 다음에 같이 가도 돼요?
유진: 그럼요. 수지 씨, 다음에 꼭 같이 가요.
수지: 그런데 제가 봉사 활동을 해 본 적이 없어서 좀 걱정이에요.
유진: 걱정하지 마세요. 어려운 일이 아니니까 경험이 없어도 괜찮아요.

02 🔊 티켓을 구하는 게 쉽지 않았을 텐데 어떻게 구했어요?

활동 1 | 1번 | 26쪽

콘서트 티켓은 어디서 살 수 있어요? 마리 씨가 콘서트에 다녀와서 주노 씨와 이야기해요. 다음을 잘 듣고 질문에 답하세요.

마리: 주노 씨, 저 지난 주말에 드디어 유새이 콘서트에 갔다 왔어요.
주노: 와! 정말요? 근데 티켓을 구하는 게 쉽지 않았을 텐데 어떻게 구했어요?

마리: 말도 마세요. 티켓을 못 구할까 봐 엄청 걱정했어요. 팬클럽 친구들한테 부탁해서 정말 힘들게 구했어요.
주노: 정말 대단하네요. 그래서 콘서트는 어땠어요?
마리: 실제로 보니 더 감동적이더라고요. 마지막에 다 같이 노래를 부를 때는 눈물도 조금 났어요.
주노: 정말 좋았나 보네요. 마리 씨, 이제 팬클럽 활동을 더 열심히 하겠네요.

03 🔊 매운 음식을 진짜 잘 먹는구나

활동 1 | 1번 | 34쪽

여러분 나라의 음식과 한국 음식은 어떻게 달라요? 수지 씨와 안나 씨가 좋아하는 음식에 대해 이야기해요. 다음을 잘 듣고 질문에 답하세요.

수지: 이 떡볶이 꽤 매운 것 같은데 안나 너는 괜찮아?
안나: 그래? 난 하나도 안 매운데?
수지: 너는 매운 음식을 진짜 잘 먹는구나. 나는 매운 음식을 좋아하기는 하지만 먹고 나면 속이 쓰려서 잘 못 먹겠더라고.
안나: 나는 이 정도는 괜찮아. 우리 고향 음식 중에 더 매운 음식도 많거든.
수지: 그럼 다음에 만날 때 입안이 얼얼할 정도로 매운 한국 라면을 선물로 줄게.
안나: 아, 나 그거 알아. 인터넷에서 꽤 유명하잖아. 한번 먹어 보고 싶었는데 잘됐다.

04 🔊 채소부터 씻어서 썰어 놓자

활동 1 | 1번 | 42쪽

가장 잘하는 요리가 뭐예요? 수지 씨와 안나 씨가 요리를 하고 있어요. 다음을 잘 듣고 질문에 답하세요.

수지: 재료 준비도 다 됐으니까 이제 떡볶이 만들어 볼까?
안나: 그럼 이제 뭐부터 하면 돼?
수지: 우선 떡은 물에 잠시 담가 놓아야 돼. 그 다음에 파, 양파, 양배추를 씻어서 썰어 놓자.
안나: 다 썰었어. 이제 냄비에다가 떡과 채소를 넣고 끓일까?
수지: 안나, 잠깐만. 먼저 떡이랑 고추장부터 넣고 끓인 다음에 채소를 넣는 게 좋아. 채소를 빨리 넣으면 너무 익어서 맛이 없거든.
안나: 그렇구나. 나는 맵게 먹고 싶으니까 고추도 썰어 넣어야지.

05 🔊 딴생각을 하다가 버스를 놓쳐 버렸어요

활동 1 | 1번 | 50쪽

버스나 지하철을 놓쳐 본 적이 있어요? 주노 씨가 마리 씨에게 오늘

한 실수를 이야기해요. 다음을 잘 듣고 질문에 답하세요.

마리: 주노 씨, 왜 이렇게 늦었어요?

주노: 미안해요. 오래 기다렸죠? 토요일인 걸 깜빡하고 회사에 가려고 버스를 탔다가 다시 돌아왔어요.

마리: 하하! 정말요? 설마 회사까지 간 건 아니죠?

주노: 다행히 금방 내렸어요. 그런데 내린 뒤에 딴생각을 하다가 버스를 놓쳐 버렸어요.

마리: 그랬군요. 저는 연락이 없어서 걱정을 많이 했어요.

주노: 사실 마리 씨한테 전화하려고 했는데요. 전화기를 켜자마자 전화기가 꺼져 버렸어요. 어젯밤에 충전하는 걸 깜빡했어요. 정말 오늘 왜 이럴까요?

06 🔊 제가 좀 참을걸 그랬어요

[활동 1] [1번] [58쪽]

싸운 후에 먼저 사과하는 편이에요? 안나 씨가 친구와 다툰 일에 대해 이야기해요. 다음을 잘 듣고 질문에 답하세요.

수지: 안나, 유진이랑 무슨 일 있었어? 두 사람 인사도 안 하고….

안나: 그게, 실은 며칠 전에 같이 과제 준비를 하다가 내가 유진한테 화를 좀 냈거든. 그때부터 유진이 나하고 말을 안 해.

수지: 그런 일이 있었어? 두 사람 친하게 지냈잖아.

안나: 그러게. 별일 아니었는데 내가 좀 참을걸 그랬어. 사과를 하고 싶은데 어떻게 해야 할지 모르겠어.

수지: 유진한테 전화해서 솔직하게 미안하다고 이야기해 봐. 유진도 안나 네 연락을 기다리고 있을 거야.

07 🔊 캠핑을 같이 간다거나 친목 모임을 해요

[활동 1] [1번] [66쪽]

동아리나 동호회에 가입해 본 적이 있어요? 재민 씨와 주노 씨가 동호회에 대해 이야기해요. 다음을 잘 듣고 질문에 답하세요.

재민: 주노 씨, 혹시 캠핑 동호회에 가입하지 않을래요?

주노: 어, 갑자기 웬 캠핑 동호회예요?

재민: 아, 제가 캠핑을 정말 좋아해 가지고 얼마 전에 동호회를 만들었거든요. 주노 씨도 저번에 캠핑에 관심이 있다고 해서 물어봤어요.

주노: 네. 저도 캠핑 좋아해요! 그럼 재민 씨는 동호회 사람들하고 같이 캠핑을 가는 거예요?

재민: 네. 한 달에 한 번 캠핑을 가요. 그리고 평소에는 맛집을 찾아간다거나 친목 모임을 해요. 모여서 캠핑에 대해 이야기하면서 인맥도 쌓고 정보도 공유하는 거죠.

주노: 아, 그러면 저도 모임에 한번 나가 볼래요.

08 🔊 일하느라고 바빠서 오랫동안 못 갔어요

[활동 1] [1번] [74쪽]

보통 휴가나 방학을 어떻게 보내요? 마리 씨와 재민 씨가 휴가 계획을 이야기해요. 다음을 잘 듣고 질문에 답하세요.

마리: 재민 씨, 휴가 계획 세웠어요?

재민: 네. 고향에 다녀오려고요. 일하느라고 바빠서 오랫동안 못 갔거든요. 그리고 제 사촌 동생 결혼식에도 가야 하고요. 마리 씨는요?

마리: 저는 여행을 가려고요. 그런데 어디로 갈지는 아직 결정 못 했어요.

재민: 그럼 제 고향에 같이 가 볼래요? 마리 씨 한국에 관심 많잖아요. 가서 한국 구경도 하고 저하고 제 사촌 동생 결혼식에도 가 보는 건 어때요?

마리: 아, 정말요? 저는 좋은데 제가 가면 재민 씨 가족들이 불편해하지 않을까요?

재민: 불편해하기는요. 저희 가족들도 마리 씨가 온다고 하면 좋아할 거예요.

09 🔊 두 사람이 많이 부러운 모양이에요

[활동 1] [1번] [82쪽]

한국의 결혼식을 본 적이 있어요? 재민 씨와 마리 씨가 재민 씨의 동생 결혼식에 갔어요. 다음을 잘 듣고 질문에 답하세요.

재민: 제 동생 드레스 입은 모습이 예쁘기는 한데 조금 낯설어요. 그래도 두 사람 참 잘 어울리는 것 같죠?

마리: 네. 정말 잘 어울려요. 그런데 한국에서는 결혼할 때 한복을 입지 않아요?

재민: 요즘은 대부분 드레스를 입어요. 전통 혼례를 하거나 결혼식이 끝나고 어른들께 인사를 드릴 때는 한복을 입고요.

마리: 그렇군요. 아, 두 사람은 좋겠다. 저도 재민 씨 동생같이 아름다운 신부가 되고 싶네요.

재민: 두 사람이 많이 부러운 모양이네요. 마리 씨도 빨리 결혼해요. 제가 꼭 가서 축하해 줄게요.

10 🔊 떡국을 한 그릇 다 먹었더니 배가 불러요

[활동 1] [1번] [90쪽]

1월 1일 아침에 무엇을 해요? 재민 씨와 마리 씨가 설날에 대해 이야기해요. 다음을 잘 듣고 질문에 답하세요.

재민: 마리 씨, 식사 다 했으면 차하고 한과 좀 드세요.

마리: 맛있겠네요. 그런데 떡국을 한 그릇 다 먹었더니 배가 너무 불러요. 재민 씨 어머니께서 떡국을 한 그릇 다 먹어야 한 살 더

먹는다고 하셨어요.

재민: 맞아요. 하하! 떡국 맛은 어땠어요? 입에 맞았어요?

마리: 네. 진짜 맛있던데요. 어머니 요리 솜씨가 정말 좋은 것 같아요. 참, 할아버지 댁에 세배하러 언제 가요?

재민: 이거 먹고 가요. 할아버지 댁에 가서 세배하고 윷놀이도 하고 와요. 윷놀이 할 줄 알죠?

마리: 그럼요. 저 윷놀이 잘해요. 문화 수업에서 해 봤는데 좀 어렵지만 재미있던데요.

---

11 🔊 자격증 준비나 외국어 공부도 미리 해 두면 좋을 거야

[활동 1] [1번] [98쪽]

주변에 취업을 준비하는 사람이 있어요? 수지 씨가 선배와 취업 준비에 대해 이야기해요. 다음을 잘 듣고 질문에 답하세요.

수지: 선배, 회사 생활이 바쁠 텐데 시간 내 줘서 고마워요.

선배: 별말을 다 하네. 그러고 보니 나도 취업한 지 벌써 1년이 다 되어 가네. 시간 참 빨라.

수지: 선배는 취업 준비를 어떻게 했어요? 저는 어떤 걸 준비하면 좋을까요?

선배: 음. 우선 어떤 회사에서 일하고 싶은지는 결정했어? 그게 제일 중요해. 그래야 그 회사에서 원하는 조건을 알고 준비하지.

수지: 아, 전 그냥 복지가 좋은 회사에서 일하고 싶다고만 생각했는데 더 구체적으로 고민해야겠네요.

선배: 그렇지. 그러고 나서 필요한 자격증 준비나 외국어 공부도 미리 해 두면 좋을 거야.

---

12 🔊 한국으로 유학을 가려고 준비하는 중이에요

[활동 1] [1번] [106쪽]

유학에 관심이 있어요? 안나 씨와 소피 씨가 유학 생활에 대해 이야기해요. 다음을 잘 듣고 질문에 답하세요.

안나: 소피, 요즘 잘 지내고 있지? 한국 생활은 어때?

소피: 나야 늘 그렇지. 이제 곧 졸업이라서 이것저것 준비할 게 좀 많네.

안나: 그렇구나. 사실 나도 내년에 한국으로 유학을 가려고 준비하는 중인데 잘 몰라서 전화했어.

소피: 그래? 너는 한국어는 잘하니까 학교랑 전공만 정하면 될 것 같은데.

안나: 아니야. 한국어를 배우기는 했지만 아직 좀 부족한 것 같아서 고민이야. 그리고 서류에, 기숙사에, 챙겨야 할 게 너무 많네.

소피: 그러면 먼저 학교를 정하고 그 학교에 유학 준비 서류와 한국어 프로그램을 같이 물어봐. 한국 대학교에는 유학생을 위한 상담 서비스가 잘 되어 있거든.

모범 답안

3B

---

01 ✏️ 할아버지, 할머니 이야기도 들어 드렸어요

[어휘와 표현] [2번] [15쪽]

2) 봉사 활동을 했어요.
3) 아르바이트를 했어요.
4) 배낭여행을 갔어요.

[문법 1] [1번] [16쪽]

1) 찾아도
2) 신어도
3) 더워도
4) 비싸도

[문법 2] [1번] [17쪽]

1) 노래를 불러 드렸어요
2) 알려 드렸어요
3) 도와 드려요 / 도와 드려야겠어요
4) (사진을) 찍어 드릴까요

[활동 1] [1번] [18쪽]

1) 할머니, 할아버지와 산책과 운동을 하고 할머니, 할아버지의 이야기도 들어 드렸다.

2) ① ○   ② ×   ③ ○

| 활동 2 | 1번 | 19쪽 |

1) 자신이 잘하는 일(재능)

2) 재능 나눔

02 티켓을 구하는 게 쉽지 않았을 텐데 어떻게 구했어요?

| 어휘와 표현 | 2번 | 23쪽 |

2) 표를 예매해요.

3) 기념품을 구입해요.

4) 단체 응원을 해요.

| 문법 1 | 1번 | 24쪽 |

1) 늦을까 봐

2) 클까 봐/작을까 봐

3) 졸까 봐

4) 매진될까 봐/없을까 봐

| 문법 2 | 1번 | 25쪽 |

1) 많을 텐데

2) 드실 텐데

3) 좁을 텐데

| 문법 2 | 2번 | 25쪽 |

1) 바쁠 텐데

2) 부족할 텐데

| 활동 1 | 1번 | 26쪽 |

1) 콘서트

2) ① ×　　　② ×　　　③ ○

| 활동 2 | 1번 | 27쪽 |

1) ① ○　　　② ○　　　③ ×

03 매운 음식을 진짜 잘 먹는구나

| 어휘와 표현 | 2번 | 31쪽 |

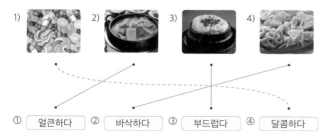

1)　　　2)　　　3)　　　4)

① 얼큰하다　② 바삭하다　③ 부드럽다　④ 달콤하다

| 문법 1 | 1번 | 32쪽 |

1) 잠을 많이 못 잤거든요

2) 못 먹거든요. / 안 좋아하거든요

3) 그동안 열심히 공부했거든요

4) 수지 씨가 성격이 좋거든요

5) 늦잠을 잤거든요

| 문법 2 | 1번 | 33쪽 |

1) 예쁘구나

2) 맵구나

3) 일찍 자는구나

4) 커피를 정말 좋아하는구나

5) 집이 진짜 가깝구나

| 활동 1 | 1번 | 34쪽 |

1) 떡볶이

2) 네. 잘 먹어요.

3) 매운 한국 라면

| 활동 2 | 1번 | 35쪽 |

1) 한국인은 김치를 가장 좋아하고, 외국인은 삼겹살을 가장 좋아해요.

2) 김치와 비빔밥이 있어요.

04 채소부터 씻어서 썰어 놓자

| 어휘와 표현 | 2번 | 39쪽 |

2) 칼 / 도마

3) 주걱

4) 냄비

5) 프라이팬

6) 국자

| 어휘와 표현 | 3번 | 39쪽 |

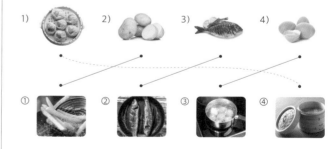

1)　　　2)　　　3)　　　4)

①　　　②　　　③　　　④

2) 감자를 튀겨서 먹어요.

3) 생선을 구워서 먹어요.

4) 달걀을 삶아서 먹어요.

문법 1 | 1번 | 40쪽

1) 차려 놓았으니까
2) 예매해 놓았어
3) 열어 놓고
4) 받아 놓았습니다

문법 2 | 1번 | 41쪽

1) 아침을 먹은 다음에
2) 영화를 본 다음에
3) 점심을 먹은 다음에

활동 1 | 1번 | 42쪽

1) 떡볶이
2) ① 4   ② 1   ③ 2   ④ 3

활동 2 | 1번 | 43쪽

1) 5   2) 2   3) 6   4) 4
5) 7   6) 3   7) 1

05 딴생각을 하다가 버스를 놓쳐 버렸어요

어휘와 표현 | 2번 | 47쪽

2) 계단에서 컵을 (떨어뜨려서) 깨뜨렸어요.
3) 화장실에 노트북을 놓고 왔어요.
4) 카페에 책을 두고 왔어요.

문법 1 | 1번 | 48쪽

1) 가자마자
2) 오자마자
3) 졸업하자마자
4) 만나자마자

문법 2 | 1번 | 49쪽

1) 그냥 와 버렸어요
2) 짧게 잘라 버렸어요
3) 벌써 다 써 버렸어
4) 날아가 버렸어요

활동 1 | 1번 | 50쪽

1) 토요일인 걸 깜빡해서
2) ①, ②

활동 2 | 1번 | 51쪽

1) ① ○   ② ×   ③ ○   ④ ×

06 ✏ 제가 좀 참을걸 그랬어요

어휘와 표현 | 2번 | 55쪽

1) 사과 드리겠습니다. / 불편을 드려 죄송합니다.
2) 앞으로 주의하겠습니다.
3) 그럴 수도 있죠.
4) 괜찮아요. / 일부러 그런 것도 아닌데요, 뭘.
5) 괜찮아. / 실수한 건데, 뭘.

문법 1 | 1번 | 56쪽

1) 자전거를 잘 못 탔는데
2) 나무가 없었었는데 지금은 많네요
3) 시디플레이어로 음악을 들었었는데 지금은 휴대폰으로 들어요
4) 자주 갔었는데

문법 2 | 1번 | 57쪽

1) 조금 참을걸 그랬어요
2) 공부할걸 그랬어요
3) 높임말 연습을 할걸 그랬어요
4) 밥 먹으러 갈걸 그랬어요

활동 1 | 1번 | 58쪽

1) 과제 준비를 하다가 다퉜어요.
2) ③

활동 2 | 1번 | 59쪽

1) ① ○   ② ×   ③ ○   ④ ○   ⑤ ○

07 ✏ 캠핑을 같이 간다거나 친목 모임을 해요

어휘와 표현 | 2번 | 63쪽

2) 동호회에 가입해요.
3) 동호회에 나가요.
4) 모임을 해요. / 친목을 다져요.

문법 1 | 1번 | 64쪽

1) 테니스를 배우고 싶어 가지고
2) 친구랑 싸워 가지고
3) 요즘 일이 너무 많아 가지고 바빠요
4) 친구가 추천해 (줘) 가지고 배우게 됐어요

문법 2 | 1번 | 65쪽

1) 맛있는 음식을 먹는다거나 큰 소리로 노래를 불러요
2) 교환을 한다거나 환불해요
3) 사전을 찾아본다거나 친구에게 물어봐요
4) 책을 읽는다거나 친구를 만나요

활동 1 | 1번 | 66쪽

1) 캠핑 동호회
2) 한 달에 한 번 캠핑을 가고 평소에는 맛집을 찾아간다거나 친목 모임을 해요.

활동 2 | 1번 | 67쪽

1) 생활 가구 제작, 볼링, 한국 드라마

08 ✏️ 일하느라고 바빠서 오랫동안 못 갔어요

어휘와 표현 | 2번 | 71쪽

2) 관광지를 둘러봤어요.
3) 현지 문화를 체험했어요.
4) 기념품을 샀어요.

문법 1 | 1번 | 72쪽

1) 밀린 집안일을 하느라고
2) 회의를 준비하느라고
3) 집에 다시 갔다 오느라고
4) 시험 공부를 하느라고

문법 2 | 1번 | 73쪽

1) 잘하기는요
2) 무겁기는요
3) 자주 가기는요
4) 잘 알기는

활동 1 | 1번 | 74쪽

1) 사촌 동생 결혼식에 참석할 거예요.
2) 마리 씨가 한국에 관심이 많기 때문에 한국 구경도 하고, 사촌 동생 결혼식에도 같이 참석하면 좋을 것 같아서

활동 2 | 1번 | 75쪽

1) 7월 25일~7월 27일, 강릉
2) 1일차: 강릉 도착
   2일차: 강릉 커피 거리, 안목해변 구경
   3일차: 한옥, 강릉 음식(순두부) 먹기

09 ✏️ 두 사람이 많이 부러운 모양이에요

어휘와 표현 | 2번 | 79쪽

2) 혼인 서약서 낭독
3) 주례사
4) 축가
5) 신랑 신부 행진

문법 1 | 1번 | 80쪽

1) 테니스를 잘 치는 모양이에요
2) 무슨 일이 생긴 모양이에요
3) 화가 풀린 모양이에요

문법 2 | 1번 | 81쪽

1) 가수같이
2) 친구같이
3) 사과같이
4) 형제같이/자매같이/남매같이/쌍둥이같이

활동 1 | 1번 | 82쪽

1) 드레스
2) ① ×   ② ○   ③ ○

활동 2 | 1번 | 83쪽

1) ① ×   ② ○   ③ ○   ④ ○

10 ✏️ 떡국을 한 그릇 다 먹었더니 배가 불러요

어휘와 표현 | 2번 | 87쪽

설날: 윷놀이를 해요, 세배를 해요, 세배를 드려요, 세뱃돈을 줘요, 세뱃돈을 받아요, 덕담을 해요
추석: 송편을 먹어요, 달맞이를 해요, 소원을 빌어요, 씨름을 해요, 차례를 지내요
정월 대보름: 오곡밥을 먹어요, 부럼 깨물기를 해요, 달맞이를 해요

문법 1 | 1번 | 88쪽

1) 만들기 쉽던데요
2) 급하게 뛰어가던데요
3) 웃으면서 집에 가던데요
4) 차가 많이 밀리던데요

1) 밥을 많이 먹었더니
2) 운전을 했더니
3) 전화를 했더니
4) 신경을 썼더니

1) 한 살 더 먹기 위해
2) ① ○   ② ×   ③ ×

1) ②
2) ① ×   ② ○   ③ ○   ④ ×   ⑤ ×

11 🖋 자격증 준비나 외국어 공부도 미리 해 두면 좋을 거야

2) 입사 지원서를 내요.
3) 면접을 봐요.
4) 입사해요.

1) 끝나 가 / 해 가
2) 닮아 가는
3) 되어 가요
4) 읽어 가

1) 예매해 두었어
2) 예약해 두어야 해요 / 예약해 두는 것이 좋아요
3) 청소해 둘게 / 치워 둘게
4) 먹어 둬

1) 취업 준비를 어떻게 하면 되는지 물어보고 싶어서 선배를 만나러 왔어요.
2) 1년이 되었어요.
3) 우선 어떤 회사에서 일하고 싶은지 결정하는 것이 중요하고, 필요한 자격증 준비나 외국어 공부도 미리 해 두면 좋다고 이야기해 줬어요.

1) 월급을 가장 선호해요.
2) 20대, 30대는 자유로운 분위기와 개인의 발전을 중요한 직장 조건의 하나라고 생각하지만 40대, 50대는 승진 기회나 자부심도 중요하다고 생각해요.

12 🖋 한국으로 유학을 가려고 준비하는 중이에요

2) 유학원을 알아봐.
3) 비자를 발급 받아요.
4) 집을 구해요.
5) 학비를 지원받아요.

1) 좋아하기는 하지만
2) 슬프기는 했지만
3) 먹기는 했는데
4) 힘들기는 했는데

1) 알아보는 중이에요 / 찾는 중이에요
2) 기다리는 중이야
3) 청소하는 중이야
4) 고민하는 중이야

1) 유학 준비에 대해 물어보기 위해
2) ① ×   ② ○   ③ ○

1) ① ○   ② ○   ③ ×

어휘와 표현 색인
3B

자료
출처

3B

※ 이 교재는 산돌폰트 외 Ryu 고운한글돋움OTF, Ryu 고운한글바탕OTF 등을 사용하여 제작되었습니다. Ryu 고운한글돋움OTF, Ryu 고운한글바탕OTF 서체는 서체 디자이너 류양희 님에게서 제공 받았습니다.

 이 교재는 국립공원공단에서 2021년 작성하여 공공누리 제1유형으로 개방한 '국립공원 꼬미'를 사용하였으며, 해당 저작물은 국립공원공단(www.knps.or.kr)에서 무료로 다운 받으실 수 있습니다.
이 교재는 네이버에서 제공하는 나눔고딕폰트를 사용하였습니다.

※ 강승희, 곽명주, 박가을, 이재영, 정원교 작가와 함께 작업했습니다.

| 게티이미지코리아 |

2과 22쪽_(중, 좌로부터)②   3과 30쪽_(상, 좌로부터)①;   4과 43쪽_(보기)/4)/6)   7과 62쪽_(시계방향으로)③/⑤/⑥/⑦, (우, 위로부터)②/③   8과 75쪽_1번 (좌, 위로부터)①, (중앙, 위로부터)①/③, (우, 위로부터)③   9과 78쪽_(좌, 위로부터)①, (우, 위로부터)①/②/③   10과 86쪽_좌, (중앙, 위로부터)②/③, (우, 위로부터)②/③; 87쪽_3번 우; 92쪽_우   11과 94쪽_(우, 위로부터)④; 100쪽_(시계방향으로)④   12과 106쪽_1번 (위로부터)①/②

| 셔터스톡 |

표지   1과 14쪽; 15쪽; 16쪽; 17쪽_상, 1번 1)/2), 2번; 18쪽; 19쪽; 20쪽_좌   2과 22쪽_(중, 좌로부터)①, (하, 좌로부터)①/②; 23쪽_3번 (좌로부터)②/③; 24쪽; 25쪽_2번; 26쪽; 27쪽; 28쪽   3과 30쪽_(상, 좌로부터)②, 중, 하; 31쪽; 32쪽_2번; 33쪽_2번; 34쪽; 35쪽   4과 39쪽; 40쪽_2번 (좌로부터)②; 41쪽_2번; 42쪽; 43쪽_1번 1)/2)/3)/5)/7); 44쪽   5과 46쪽; 47쪽; 50쪽_1번 ②, 2번; 51쪽_1번 상우; 52쪽   6과 54쪽; 55쪽; 56쪽_1번 (보기), 2번; 57쪽_2번; 58쪽; 59쪽   7과 62쪽_(시계방향으로)②; 63쪽_2번 1)/2), 3번; 64쪽; 65쪽_1번, 2번; 66쪽_1번; 67쪽; 68쪽   8과 70쪽_상좌, (상우, 위로부터)②/③/④; 71쪽; 72쪽; 73쪽_상우, 2번; 75쪽_1번 (좌, 위로부터)②/③, (중앙, 위로부터)②, (우, 위로부터)①/②; 76쪽   9과 78쪽_(좌, 위로부터)②/③; 79쪽_3번; 80쪽_상우, 2번; 81쪽; 82쪽; 84쪽   10과 86쪽_(중앙, 위로부터)①, (우, 위로부터)④; 87쪽_3번 좌; 90쪽; 91쪽   11과 94쪽_좌, (우, 위로부터)①/②/③, (우, 위로부터)①/②/③; 95쪽; 96쪽; 97쪽; 98쪽; 100쪽_(시계방향으로)①/②/③   12과 102쪽_(좌, 위로부터)②, (우, 위로부터)①/③; 103쪽_2번 (보기)/2)/3)/4), 3번; 104쪽; 105쪽; 106쪽_1번 (위로부터)③, 2번; 108쪽; 109쪽

| 연합뉴스 |

10과 86쪽_(우, 위로부터)①

| 기타 |

2과 22쪽_ 가수 블랙핑크 (YG엔터테인먼트 제공)

세종한국어 3B

기획	국립국어원	박미영 학예연구사
	국립국어원	조 은 학예연구사
집필	책임 집필	이정희 경희대학교 국제교육원 교수
	공동 집필	박진욱 대구가톨릭대학교 한국어문학과 조교수
		손혜진 고려대학교 국제한국언어문화연구소 연구교수
		김윤경 부산외국어대학교 한국어문화교육원 교사
		이정윤 계명대학교 국제사업센터 한국어학당 강사
	집필 보조	고정대 대구가톨릭대학교 국어국문학과 박사과정
		심지연 고려대학교 교양교육원 초빙교수
		정성호 경희대학교 국어국문학과 박사수료
		서유리 경희대학교 국어국문학과 박사과정

발행 국립국어원
주소: (07511) 서울특별시 강서구 금낭화로 154
전화: +82(0)2-2669-9775
전송: +82(0)2-2669-9727
누리집: www.korean.go.kr

초판 1쇄 발행   2022년 9월 1일
초판 3쇄 발행   2024년 3월 8일

편집·제작 공앤박 주식회사
주소: (05116) 서울특별시 광진구 광나루로56길 85, 프라임센터 3411호
전화: +82(0)2-565-1531
전송: +82(0)2-6499-1801
누리집: www.kongnpark.com / www.BooksOnKorea.com (구매)

총괄	공경용
편집	이유진, 김세훈, 이진덕, 여인영, 김령희, 성수정, 최은정, 함소연
영문 편집	Sung A. Jung, Paulina Zolta, Kassandra Lefrancois-Brossard
디자인	오진경, 서은아, 이종우, 이승희
삽화	강승희, 곽명주, 박가을, 이재영, 정원교
관리·제작	공일석, 최진호
IT 자료	손대철
마케팅	윤성호

ISBN 978-89-97134-27-4 (14710)
ISBN 978-89-97134-21-2 (세트)

뒤 그림 | 대한민국 전도

© 국토지리정보원 제공

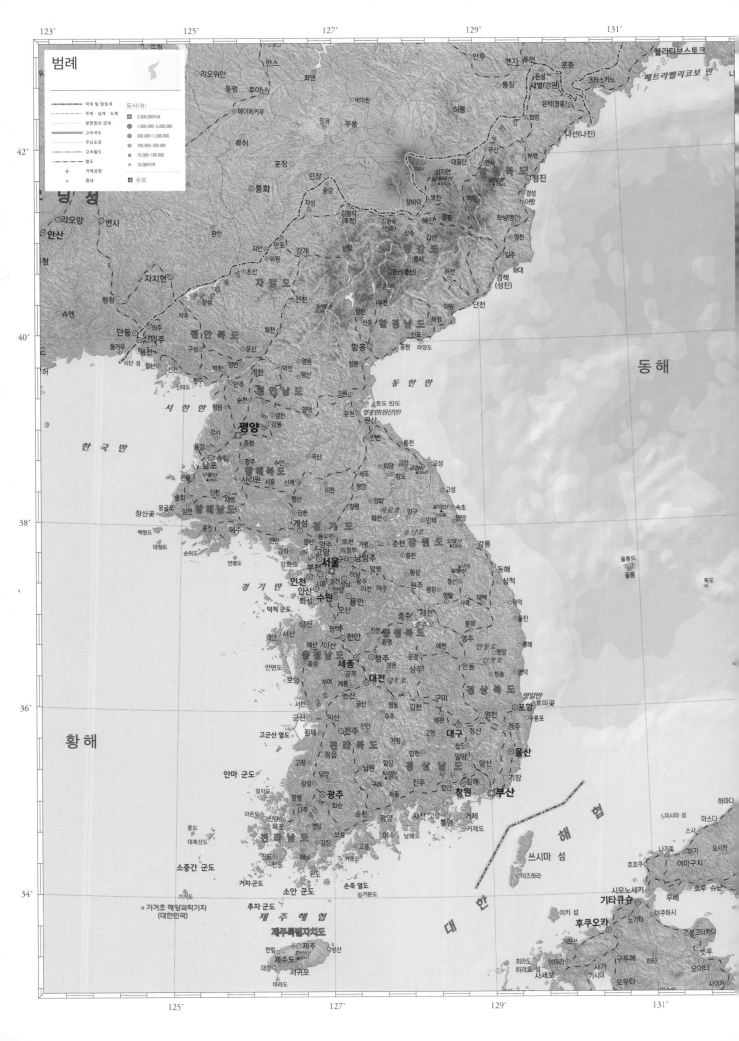